2단계B 완성 스케줄표

공부한 날	주	일	학습 내용
월 일	**1주**	도입	1주에는 무엇을 공부할까?
		1일	그림으로 나타낸 수
월 일		2일	규칙에 따라 뛰어 세기
월 일		3일	네 자리 수의 크기 비교
월 일		4일	곱셈식을 만들어 문제 해결하기
월 일		5일	□가 있는 곱셈구구
		특강 / 평가	창의·융합·코딩 / 누구나 100점 테스트
월 일	**2주**	도입	2주에는 무엇을 공부할까?
		1일	조건을 만족하는 수 구하기
월 일		2일	전체 수 구하기
월 일		3일	길이 비교하기
월 일		4일	지나가는 길의 거리 구하기
월 일		5일	전체 길이 구하기
		특강 / 평가	창의·융합·코딩 / 누구나 100점 테스트
월 일	**3주**	도입	3주에는 무엇을 공부할까?
		1일	시곗바늘 맞추기
월 일		2일	비어 있는 달력 채우기
월 일		3일	며칠 후, 며칠 전 날짜
월 일		4일	며칠, 몇 시간 동안인지 구하기
월 일		5일	표와 그래프에서 빈 곳 채우기
		특강 / 평가	창의·융합·코딩 / 누구나 100점 테스트
월 일	**4주**	도입	4주에는 무엇을 공부할까?
		1일	여러 가지 표와 그래프 완성하기
월 일		2일	덧셈표, 곱셈표에서 규칙 찾기
월 일		3일	쌓은 모양에서 규칙 찾기
월 일		4일	반복 규칙, 회전 규칙 찾기
월 일		5일	개수 규칙, 이중 규칙 찾기
		특강 / 평가	창의·융합·코딩 / 누구나 100점 테스트

공부한 날을 표시하고 하루하루 학습 내용을 살펴보세요.

Chunjae
Makes
Chunjae

▼

기획총괄	김안나
편집개발	김정희, 이근우, 서진호, 한인숙,
	최수정, 김혜민, 박웅, 김현주
디자인총괄	김희정
표지디자인	윤순미, 안채리
내지디자인	박희춘, 이혜미
제작	황성진, 조규영

발행일	2021년 4월 15일 초판 2021년 4월 15일 1쇄
발행인	(주)천재교육
주소	서울시 금천구 가산로9길 54
신고번호	제2001-000018호
고객센터	1577-0902

똑 똑 한
하루
사고력

창의·융합·서술·코딩

초등
수학 **2B**
2학년 수준

구성 및 특장

똑똑한 하루 사고력

어떤 문제가 주어지더라도 해결할 수 있는 능력,
이미 알고 있는 것을 바탕으로 새로운 것을 이해하는 능력
위와 같은 능력이 사고력입니다.

똑똑한 하루 사고력

하루에 6쪽씩
하나의
주제로 학습합니다.

개념·원리 길잡이

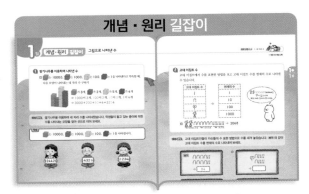

개념과 원리를 배우고 문제를 통해 익힙니다.

서술형·독해력 길잡이

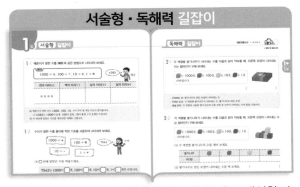

서술형 문제를 푸는 연습을 하고 긴 문제도 해석할 수
있는 독해력을 키웁니다.

사고력·코딩

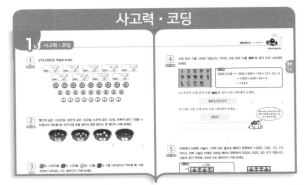

한 주 동안 학습한 내용과 관련 있는 창의·융합 문제와
코딩 문제를 풀어 봅니다.

똑똑한 하루 사고력 특강과 테스트

한 주의 특강

특강 부분을 통해 더
다양한 사고력 문제를
풀어 봅니다.

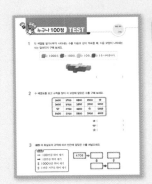

누구나 100점 테스트

한 주 동안 공부한 내용
으로 테스트합니다.

차례

저기 보이는 마트에서 내가 아이스크림을 사 줄게.

고마워.

나는 2200원짜리 아이스크림을 샀어.

내 아이스크림은 1300원이야.

음~ 어떤 아이스크림이 더 비싼 거지?

2200과 1300을 수 모형으로 나타내면 2200은 천 모형이 2개, 1300은 천 모형이 1개야.

2200 →

1300 →

아! 천 모형의 수를 비교하면 2200이 1300보다 더 큰 수구나!

2200 > 1300

2 > 1

나도 부모님께 용돈 올려 달라고 말해 봐야지.

응원할게, 안녕!

게임 시간을 줄이면 용돈을 올려 줄게.

아⋯⋯. 그건 불가능한 일이에요.

천의 자리	백의 자리	십의 자리	일의 자리
5	6	2	7

1000이 5개, 100이 6개, 10이 2개, 1이 7개이면 5627이에요.

5627=5000+600+20+7

5	0	0	0
	6	0	0
		2	0
			7

확인 문제

1-1 ☐ 안에 알맞은 수를 써넣으세요.

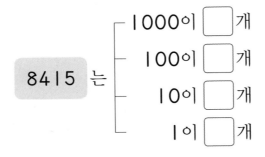
8415 는
- 1000이 ☐ 개
- 100이 ☐ 개
- 10이 ☐ 개
- 1이 ☐ 개

한번 더

1-2 ☐ 안에 알맞은 수를 써넣으세요.

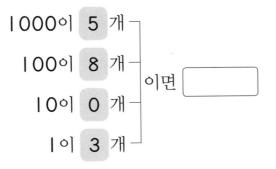
- 1000이 5 개
- 100이 8 개
- 10이 0 개
- 1이 3 개
이면 ☐

2-1 1000씩 뛰어서 세어 보세요.

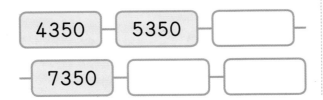
| 4350 | 5350 | ☐ |
| 7350 | ☐ | ☐ |

2-2 10씩 뛰어서 세어 보세요.

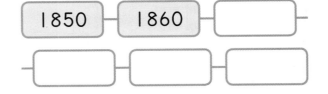
| 1850 | 1860 | ☐ |
| ☐ | ☐ | ☐ |

천, 백, 십, 일의 자리 수를 차례로 비교해요.

$$2\underline{8}93 > 2\underline{4}56$$
8>4

■단 곱셈구구에서는 곱이 ■씩 커져요.

$$3 \times 1 = 3 \atop 3 \times 2 = 6 \atop 3 \times 3 = 9 \atop 3 \times 4 = 12 \atop 3 \times 5 = 15$$

$+3$
$+3$
$+3$
$+3$

확인 문제

3-1 두 수의 크기를 비교하여 ◯ 안에 > 또는 <를 알맞게 써넣으세요.

(1) 9120 ◯ 8995

(2) 5556 ◯ 5555

(3) 1035 ◯ 1053

(4) 3943 ◯ 3867

한번 더

3-2 더 큰 수를 설명한 사람을 찾아 이름을 써 보세요.

 삼천구백십.

 1000이 3개, 100이 4개, 10이 9개, 1이 5개인 수.

시우   수아

(   )

4-1 ☐ 안에 알맞은 수를 써넣으세요.

(1) $3 \times 2 =$ ☐   (2) $2 \times 8 =$ ☐

(3) $5 \times 4 =$ ☐   (4) $4 \times 5 =$ ☐

4-2 ☐ 안에 알맞은 수를 써넣으세요.

(1) $7 \times 9 =$ ☐   (2) $9 \times 9 =$ ☐

(3) $6 \times 6 =$ ☐   (4) $8 \times 3 =$ ☐

5-1 ☐ 안에 알맞은 수를 써넣으세요.

$$7 \times \boxed{} = 7$$

5-2 ☐ 안에 알맞은 수를 써넣으세요.

$$8 \times \boxed{} = 0$$

1 쌓기나무를 이용하여 나타낸 수

예 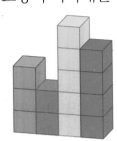 는 1000을, 는 100을, 는 10을, 는 1을 나타낸다고 약속할 때, 다음 모양이 나타내는 네 자리 수 구하기

가 3개, 가 2개, 가 5개, 가 4개

➡ 1000이 3개, 100이 2개, 10이 5개, 1이 4개

➡ 3000+200+50+4=3254

활동 문제 쌓기나무를 이용하여 네 자리 수를 나타내었습니다. 학생들이 들고 있는 종이에 적힌 수를 나타내는 모양을 찾아 선으로 이어 보세요.

약속

는 1000을, 는 100을, 는 10을, 는 1을 나타냅니다.

2442

4321

1234

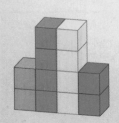

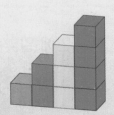

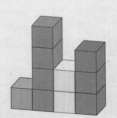

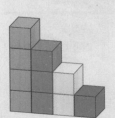

2 고대 이집트 수

고대 이집트에서 수를 표현한 방법을 보고 고대 이집트 수를 현재의 수로 나타낼 수 있습니다.

고대 이집트 수	현재의 수
		1
∩	10
ℓ	100
⚘	1000

예 ⚘⚘ ∩∩∩∩∩∩ |||||||| → 2068
  └→1000이 2개 └→10이 6개 └→1이 8개

활동 문제 고대 이집트인들이 자신들의 수 표현 방법으로 수를 새겨 놓았습니다. 보기 와 같이 고대 이집트 수를 현재의 수로 나타내어 보세요.

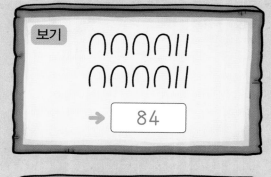

보기

→ 84

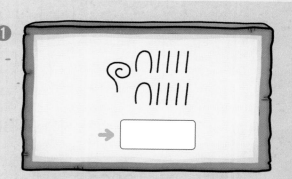

❶

→

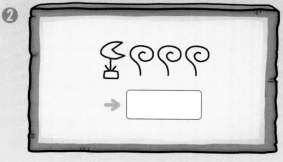

❷

→

❸

→

1-1 예준이가 말한 수를 보기 와 같은 방법으로 나타내어 보세요.

보기
$$1000 \rightarrow ■, 100 \rightarrow ▼, 10 \rightarrow ●, 1 \rightarrow ◆$$

천의 자리(■)	백의 자리(▼)	십의 자리(●)	일의 자리(◆)
■ ■ ■ ■			

❶ 예준이가 말한 수는 1000, 100, 10, 1이 각각 몇 개인 수인지 알아봅니다.
➡ 4382는 1000이 4개, 100이 3개, 10이 8개, 1이 2개인 수입니다.
❷ 각 자리에 알맞은 기호를 개수만큼 차례로 그립니다.

1-2 수아가 말한 수를 종이에 적힌 기호를 사용하여 나타내어 보세요.

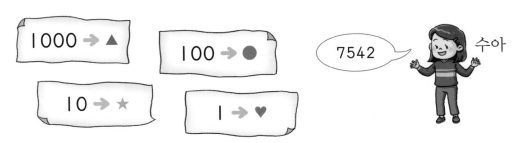

(1) ☐ 안에 알맞은 수를 써넣으세요.

7542는 1000이 ☐개, 100이 ☐개, 10이 ☐개, 1이 ☐개인 수입니다.

(2) 수아가 말한 수를 기호를 사용하여 나타내어 보세요.

천, 백, 십, 일의 자리 순서대로
차례로 기호를 그려 보세요!

2-1 각 색깔별 쌓기나무가 나타내는 수를 다음과 같이 약속할 때, 오른쪽 모양이 나타내는
수는 얼마인지 구해 보세요.

(   )

- 구하려는 것: 쌓기나무로 만든 모양이 나타내는 수
- 주어진 조건: 각 색깔별 쌓기나무가 나타내는 수, 쌓기나무로 만든 모양
- 해결 전략: 각 색깔별 사용한 쌓기나무의 수를 구한 후 각각이 나타내는 수의 합을 구합니다.

2-2 각 색깔별 쌓기나무가 나타내는 수를 다음과 같이 약속할 때, 오른쪽 모양이 나타내는 수
는 얼마인지 구해 보세요.

 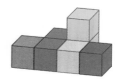

(1) 각 색깔별 쌓기나무의 수를 세어 보세요.

쌓기나무	🟦	🟪	⬜	🟫
수(개)				

(2) 쌓기나무로 만든 모양이 나타내는 수를 써 보세요.   (   )

2-3 🟦는 1000을, 🟪는 100을, ⬜는 10을, 🟫는 1을 나타낸다고 약속할 때, 다음
모양이 나타내는 수는 얼마인지 구해 보세요.

(   )

1 6953원만큼 색칠해 보세요.

문제 해결

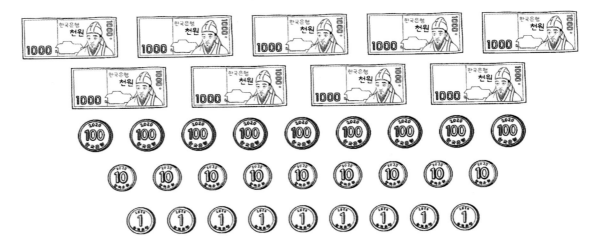

2 빨간색 공은 1000점, 파란색 공은 100점, 노란색 공은 10점, 초록색 공은 1점을 나타낸다고 약속할 때, 바구니에 공을 넣어서 얻은 점수는 몇 점인지 구해 보세요.

문제 해결

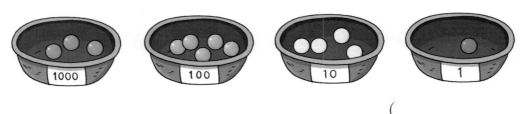

(   )

3 ⬛는 1000을, ⬛는 100을, ⬜는 10을, ⬛는 1을 나타낸다고 약속할 때, 다음 모양이 나타내는 수는 얼마인지 구해 보세요.

추론

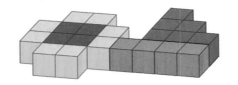

(   )

▶ 정답 및 해설 3쪽

고대 로마 수를 나타낸 것입니다. 주어진 고대 로마 수를 보기 와 같이 수로 나타내어 보세요.

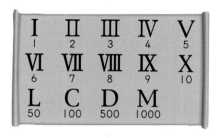

보기

$$MDCXXIII \Rightarrow 1000+500+100+10+10+3$$
$$=1000+600+20+3$$
$$=1623$$

(1) 주어진 고대 로마 수를 보기 와 같이 수로 나타내어 보세요.

MCLXXXV

(   )

(2) 다음 수를 고대 로마 수로 나타내어 보세요.

2021

백의 자리 숫자가 0이므로 백의 자리를 나타내는 수는 쓰지 않아도 돼요.

주판에서 아래쪽 구슬이 1개씩 위로 올라갈 때마다 왼쪽부터 1000, 100, 10, 1이 커지고, 위쪽 구슬은 아래로 내려갈 때마다 왼쪽부터 5000, 500, 50, 5가 커집니다. 다음과 같이 주판에 나타낸 수는 얼마인지 구해 보세요.

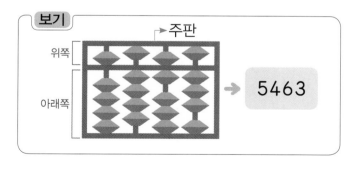

보기

→ 주판

위쪽

아래쪽

→ 5463

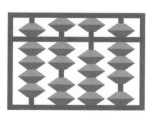

(   )

1 뛰어 세기와 거꾸로 뛰어 세기

· 1000, 100, 10, 1씩 뛰어서 세면 천, 백, 십, 일의 자리 수가 1씩 커집니다.

· 1000, 100, 10, 1씩 거꾸로 뛰어서 세면 천, 백, 십, 일의 자리 수가 1씩 작아집니다.

예

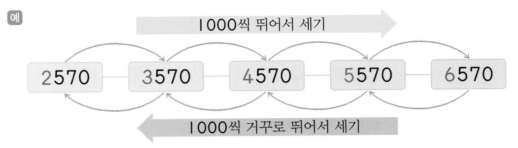

1000씩 뛰어서 세기

2570 — 3570 — 4570 — 5570 — 6570

1000씩 거꾸로 뛰어서 세기

활동 문제 7516부터 1씩 거꾸로 뛰어 센 수가 있는 길을 따라가 미로를 통과해 보세요.

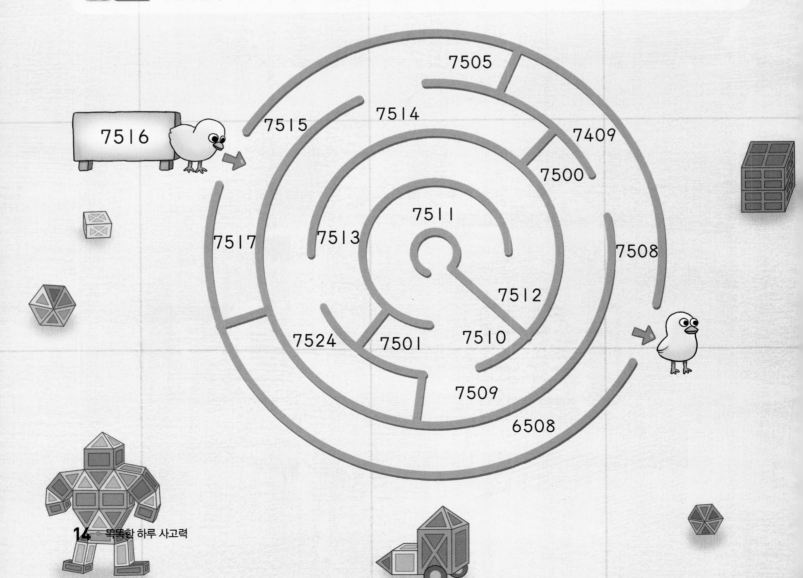

▶ 정답 및 해설 3쪽

② **규칙에 따라 뛰어 세기**

규칙을 보고 가운데 수를 기준으로 각 칸에 알맞게 뛰어서 센 수를 구합니다.

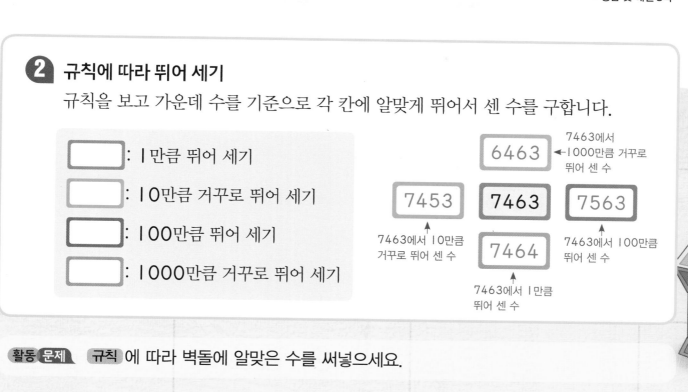

	: 1만큼 뛰어 세기
	: 10만큼 거꾸로 뛰어 세기
	: 100만큼 뛰어 세기
	: 1000만큼 거꾸로 뛰어 세기

6463 ← 7463에서 1000만큼 거꾸로 뛰어 센 수

| 7453 | 7463 | 7563 |

7463에서 10만큼 거꾸로 뛰어 센 수

7463에서 100만큼 뛰어 센 수

7464

7463에서 1만큼 뛰어 센 수

활동 문제 규칙 에 따라 벽돌에 알맞은 수를 써넣으세요.

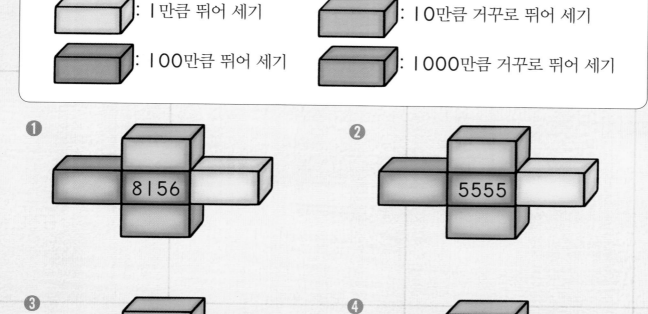

규칙

: 1만큼 뛰어 세기   : 10만큼 거꾸로 뛰어 세기

: 100만큼 뛰어 세기   : 1000만큼 거꾸로 뛰어 세기

❶ 8156

❷ 5555

❸ 7439

❹ 2000

1-1 수 배열표를 보고 규칙을 찾아 각 모양에 알맞은 수를 구해 보세요.

3500	3600	3700	3800	3900
4500	4600	♠	4800	4900
5500	♥	5700	5800	5900
6500	6600	6700	★	6900

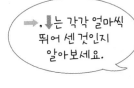 ➡, ⬇는 각각 얼마씩 뛰어 센 것인지 알아보세요.

♠ (   ), ♥ (   ), ★ (   )

❶ 수 배열표에서 각 방향에 있는 수들의 규칙을 찾습니다.

➡➡는 백의 자리 수가 I씩 커지므로 I00씩 뛰어 세는 규칙이고, ⬇는 천의 자리 수가 I씩 커지므로 I000씩 뛰어 세는 규칙입니다.

❷ 규칙에 따라 각 모양에 알맞은 수를 구합니다.

1-2 수 배열표를 보고 규칙을 찾아 각 모양에 알맞은 수를 구해 보세요.

5372	5382	5392	5402	5412
5472	5482	5492	▲	5512
5572	5582	5592	5602	5612
5672	◆	5692	5702	5712
5772	5782	♣	5802	5812

(1) ➡는 얼마씩 뛰어 센 것일까요?

(   )

(2) ⬇는 얼마씩 뛰어 센 것일까요?

(   )

(3) 각 모양에 알맞은 수를 구해 보세요.

▲ (   )

◆ (   )

♣ (   )

2-1 은성이의 저금통에 들어 있는 돈은 4500원입니다. 은성이가 한 달에 1000원씩 저금하려고 합니다. 은성이의 저금통에 들어 있는 돈이 8500원이 되려면 몇 달을 저금해야 하는지 구해 보세요.

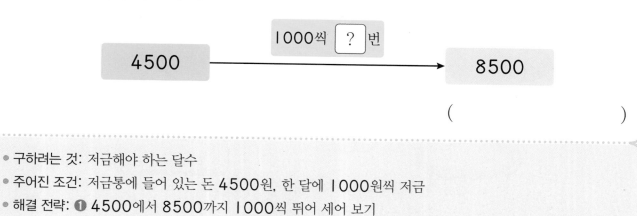

1000씩 ? 번

4500 ⟶ 8500

(   )

- 구하려는 것: 저금해야 하는 달수
- 주어진 조건: 저금통에 들어 있는 돈 4500원, 한 달에 1000원씩 저금
- 해결 전략: ❶ 4500에서 8500까지 1000씩 뛰어 세어 보기

4500   5500   6500   7500   8500

❷ 몇 번 뛰어 세었는지 알아보기 → 뛰어 센 횟수가 저금해야 하는 달수와 같습니다.

2-2 주혁이의 저금통에 들어 있는 돈은 6500원입니다. 주혁이가 매일 100원씩 저금하려고 합니다. 주혁이의 저금통에 들어 있는 돈이 7000원이 되려면 며칠을 저금해야 하는지 구해 보세요.

(1) 6500에서 7000까지 100씩 뛰어 세기를 해 보세요.

6500 ⬚ ⬚ ⬚ ⬚ 7000

(2) 주혁이의 저금통에 들어 있는 돈이 7000원이 되려면 며칠을 저금해야 할까요?

(   )

2-3 성수의 저금통에 들어 있는 돈은 5480원입니다. 성수가 저금통에 10원짜리 동전을 1분이 지날 때마다 1개씩 넣으려고 합니다. 성수의 저금통에 들어 있는 돈이 5550원이 될 때까지 걸리는 시간은 몇 분인지 구해 보세요.

(   )

1 동물들이 말한 규칙에 따라 뛰어서 세어 보세요.

문제 해결

(1) 8690

100씩 뛰어서 세어 보세요.

(2) 2378 2278

100씩 거꾸로 뛰어서 세어 보세요.

2 수지가 6월에 저금통에 들어 있는 돈을 확인해 보니 2500원이었습니다. 수지가 7월부터 매달 1000원씩 저금을 한다면 10월까지 저금하고 난 후 저금통에 들어 있는 돈은 얼마가 되는지 구해 보세요.

추론

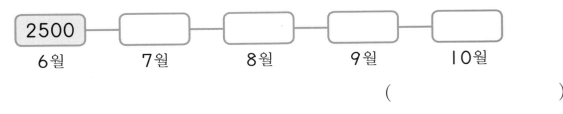

2500
6월   7월   8월   9월   10월

(   )

3 보기 의 화살표의 규칙에 따라 빈칸에 알맞은 수를 써넣으세요.

코딩

보기

➡ : 1000만큼 뛰어 세기
➡ : 100만큼 뛰어 세기
⬇ : 10만큼 뛰어 세기
⬆ : 1만큼 거꾸로 뛰어 세기

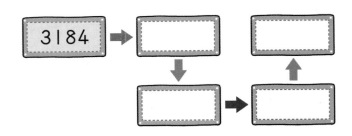

3184 ➡

4 추론

어떤 수에서 10씩 4번 뛰어서 세었더니 5000이 되었습니다. 어떤 수를 구해 보세요.

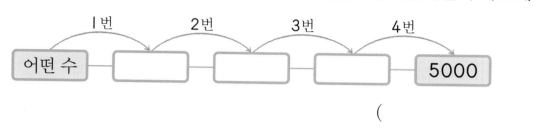

1번   2번   3번   4번

어떤 수   ☐   ☐   ☐   5000

(   )

5 코딩

다음과 같이 단계에 따라 수를 바꿔 보내는 기계가 있습니다. 4567을 넣었을 때 나오는 수를 구해 보세요.

단계 1

백의 자리 숫자가 홀수이면 1000만큼 뛰어 센 수를, 짝수이면 1000만큼 거꾸로 뛰어 센 수를 보냅니다.

단계 2

천의 자리 숫자가 십의 자리 숫자보다 크면 100만큼 뛰어 센 수를, 그렇지 않으면 100만큼 거꾸로 뛰어 센 수를 내보냅니다.

(   )

6 창의·융합

수 배열표를 보고 규칙에 따라 색칠된 칸에 알맞은 수를 써넣으세요.

	2543	2544			
	2643	2644			
		2744	2745	2746	
		2844			2847

❶ 여러 수의 크기 비교

① 자릿수를 먼저 비교합니다. ➡ 자릿수가 클수록 큰 수입니다.

② 자릿수가 같을 때에는 높은 자리부터 차례로 비교합니다.

➡ 천의 자리, 백의 자리, 십의 자리, 일의 자리의 순서대로 크기를 비교합니다.

[예]

3310   1200   3500

천의 자리 수를 비교하면 3>1이므로 1200이 가장 작습니다.

3310과 3500의 백의 자리 수를 비교하면 3<5이므로 3500이 가장 큽니다.

➡ <u>3500</u>>3310><u>1200</u>

가장 큰 수   가장 작은 수

[활동 문제] 갈림길에서 가장 큰 수가 있는 길을 따라 생선이 있는 곳까지 길을 표시해 보세요.

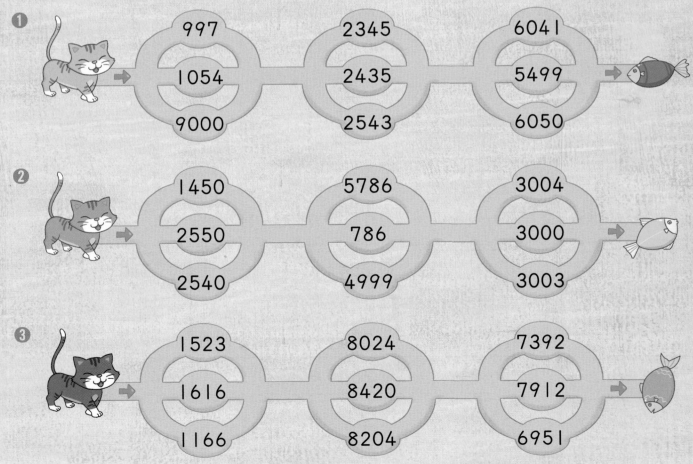

❶
997	2345	6041
1054	2435	5499
9000	2543	6050

❷
1450	5786	3004
2550	786	3000
2540	4999	3003

❸
1523	8024	7392
1616	8420	7912
1166	8204	6951

2 ☐ 안에 들어갈 수 있는 수

5☐24>5629

> ☐ 안에 ☐와 같은 자리에 있는 수를 넣었을 때도 식이 성립하는지 꼭 확인해요.

① 천의 자리 수를 먼저 비교하면 5로 같습니다.

② 백의 자리 수를 비교하면 ☐>6이므로 ☐ 안에는 6보다 큰 수가 들어갈 수 있습니다.

③ 십의 자리 수를 비교하면 2로 같습니다.

④ 일의 자리 수를 비교하면 4<9이므로 ☐ 안에 6은 들어갈 수 없습니다.

➡ ☐ 안에 들어갈 수 있는 수는 7, 8, 9입니다.

참고 5⑨24>5629(○), 5⑧24>5629(○), 5⑦24>5629(○), 5⑥24<5629(×)……

활동 문제 종이에 잉크가 떨어져 일부분이 보이지 않습니다. 왼쪽에 적힌 수가 오른쪽에 적힌 수보다 더 클 때, 보이지 않는 부분에 들어갈 수 있는 수를 모두 찾아 ○표 하세요.

❶

왼쪽   오른쪽

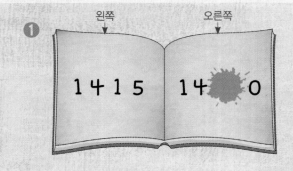

1 4 1 5   1 4 ☐ 0

(0 , 1 , 2 , 3 , 4 , 5 , 6 , 7 , 8 , 9)

❷

6 9 8 ☐   6 9 8 6

(0 , 1 , 2 , 3 , 4 , 5 , 6 , 7 , 8 , 9)

❸

3 5 3 0   3 ☐ 3 7

(0 , 1 , 2 , 3 , 4 , 5 , 6 , 7 , 8 , 9)

❹

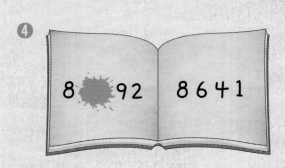

8 ☐ 9 2   8 6 4 1

(0 , 1 , 2 , 3 , 4 , 5 , 6 , 7 , 8 , 9)

1-1 ☐ 안에 들어갈 수 있는 숫자는 모두 몇 개인지 구해 보세요.

$$41\boxed{}5 > 4152$$

( )

❶ 천, 백, 십, 일의 자리 수를 차례로 비교해 보고 ☐ 안에 들어갈 수 있는 숫자를 모두 구합니다.

➡ 천의 자리, 백의 자리 수가 같고, 십의 자리 수를 비교하면 ☐>5,
일의 자리 수를 비교하면 5>2입니다.

❷ ☐ 안에 들어갈 수 있는 숫자의 개수를 세어 봅니다.

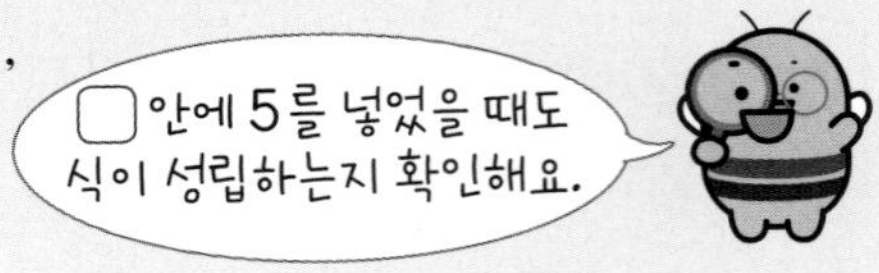

> ☐안에 5를 넣었을 때도 식이 성립하는지 확인해요.

1-2 ♥ 안에 들어갈 수 있는 숫자는 모두 몇 개인지 구해 보세요.

$$6\heartsuit28 < 6417$$

천의 자리 수를 비교하면 ☐으로 같고, 백의 자리 수를 비교하면 ♥<4입니다.

십의 자리 수를 비교하면 2>☐이므로 ♥ 안에 4는 들어갈 수 없습니다.

따라서 ♥ 안에 들어갈 수 있는 숫자는 ☐, ☐, ☐, ☐으로 모두 ☐개입니다.

1-3 ☐ 안에 들어갈 수 있는 숫자는 모두 몇 개인지 구해 보세요.

$$7464 > 74\boxed{}3$$

(1) ☐ 안에 들어갈 수 있는 숫자를 모두 써 보세요.

( )

(2) ☐ 안에 들어갈 수 있는 숫자는 모두 몇 개인가요?

( )

1주
3일

2-1 시원이는 가족의 특별한 날이 있던 해를 조사했습니다. 일이 일어난 순서대로 ☐ 안에 알맞은 번호를 써넣으세요.

이 사	부모님 결혼식	누나 졸업식	초등학교 입학
☐ 2014년	☐ 1983년	☐ 2017년	☐ 2020년

- 구하려는 것: 일이 일어난 순서
- 주어진 조건: 이사 2014년, 부모님 결혼식 1983년, 누나 졸업식 2017년, 초등학교 입학 2020년
- 해결 전략: 특별한 날이 있던 연도의 수의 크기를 비교하여 빠른 순서대로 번호를 씁니다.
  연도가 작은 수일수록 먼저 일어난 일입니다.

2-2 위인들이 태어난 연도를 조사했습니다. 먼저 태어난 위인부터 순서대로 알아보세요.

허준	강감찬	안중근	세종대왕
1539년	948년	1879년	1397년

(1) 각 위인들이 태어난 연도의 자릿수를 숫자로 써 보세요.

허준: ☐ 자리 수, 강감찬: ☐ 자리 수,

안중근: ☐ 자리 수, 세종대왕: ☐ 자리 수

(2) 자릿수가 같은 연도를 작은 수부터 차례로 써 보세요.

☐ < ☐ < ☐

(3) 먼저 태어난 위인부터 순서대로 이름을 써 보세요.

(   )

1 수 카드 4장을 한 번씩만 사용하여 네 자리 수를 만들려고 합니다. 만들 수 있는 가장 큰
수와 가장 작은 수를 각각 구해 보세요.

가장 큰 수 (   )

가장 작은 수 (   )

2 미선이가 식당에서 음식을 주문하려고 합니다. 가격이 가장 싼 음식을 주문하려고 한다면
무엇을 주문해야 할까요?

돈가스	라면	비빔밥	피자
65◻0원	3◻00원	630◻원	9◻00원

(   )

3 은경이가 세계 유명 산의 높이를 조사한 것입니다. 높이가 높은 산부터 차례로 이름을 써
보세요.

산 이름	에베레스트	몽블랑	안나푸르나	킬리만자로
높이(m)	8848	4807	8091	5895

(   )

▶ 정답 및 해설 5쪽

4 창의·융합

작은 수부터 순서대로 수를 쓰고, 알맞은 글자를 찾아 문장을 완성해 보세요.

3976	1746	5411	3839	1764
힘	오	내	도	늘

수		<		<		<		<	
글자									

5 문제 해결

주어진 식을 보고 알맞은 색으로 색칠하여 그림을 완성해 보세요.

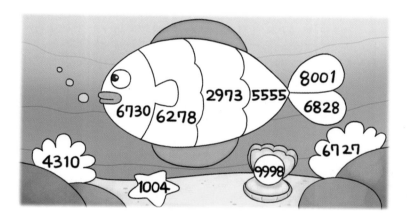

6 창의·융합

다음은 조선 시대 왕들이 왕의 자리에 있던 기간을 나타낸 것입니다. 먼저 왕의 자리에 오른 왕부터 차례대로 이름을 써 보세요.

태조	영조	세종	철종	정조

1392년~1398년	1724년~1776년	1418년~1450년	1849년~1863년	1776년~1800년

(   )

1 가려진 물건 수 구하기

가려진 물건이 한 줄에 몇 개씩 몇 줄이 있는지 알아보고 곱셈식을 세워 구합니다.

9개씩

5줄

상자를 쌓았어.

쌓여 있는 상자는 모두 몇 개일까?

쌓여 있는 상자의 수: 9개씩 5줄 ➡ 9×5=45(개)

활동 문제　모양이 규칙적으로 그려진 이불 위에 강아지와 고양이가 올라가 있습니다. 이불에 그려진 모양은 모두 몇 개인지 ☐ 안에 알맞은 수를 써넣으세요.

① ☆이 ☐ 개씩 ☐ 줄

➡ ☐ × ☐ = ☐ (개)

② ♡가 ☐ 개씩 ☐ 줄

➡ ☐ × ☐ = ☐ (개)

③ ◆가 ☐ 개씩 ☐ 줄

➡ ☐ × ☐ = ☐ (개)

④ ●가 ☐ 개씩 ☐ 줄

➡ ☐ × ☐ = ☐ (개)

2 곱이 가장 큰(작은) 곱셈식 만들기

• 곱이 가장 큰 곱셈식을 만들려면 가장 큰 수와 두 번째로 큰 수를 곱합니다.

• 곱이 가장 작은 곱셈식을 만들려면 가장 작은 수와 두 번째로 작은 수를 곱합니다.

예 수 카드 4장 중에서 2장을 골라 한 번씩만 사용하여 곱이 가장 큰(작은) 곱셈식 만들기

| 2 | 4 | 5 | 9 |

곱이 가장 큰 곱셈식

→ $9 \times 5 = 45$

가장   두 번째로
큰 수   큰 수

곱이 가장 작은 곱셈식

→ $2 \times 4 = 8$

가장   두 번째로
작은 수 작은 수

활동 문제 구슬에 적힌 수 중에서 두 수를 골라 한 번씩만 사용하여 빨간 상자에는 곱이 가장
큰 곱셈식을, 파란 상자에는 곱이 가장 작은 곱셈식을 만들어 보세요.

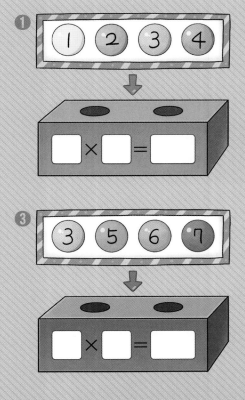

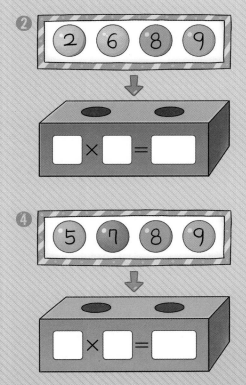

1-1 같은 수만큼 점이 그려진 카드가 6장 있습니다. 카드에 그려진 점은 모두 몇 개인지 구해 보세요.

(   )

카드에 그려진 점의 수를 곱셈식으로 나타내어 구합니다.
→ 점이 ■개씩 ▲장에 그려져 있으면 곱셈식 ■×▲로 나타내어 구할 수 있습니다.

1-2 같은 수만큼 점이 그려진 카드가 있습니다. 카드에 그려진 점은 모두 몇 개인지 구해 보세요.

(1) 카드에 점을 알맞게 그려 보세요.

(2) 카드에 그려진 점은 모두 몇 개인지 곱셈식으로 나타내어 구해 보세요.

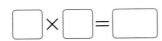

1-3 같은 수만큼 점이 그려진 카드가 있습니다. 카드에 그려진 점은 모두 몇 개인지 구해 보세요.

(1) 카드 한 장에 그려져 있는 점은 몇 개인가요?   (   )

(2) 카드는 모두 몇 장인가요?   (   )

(3) 카드에 그려진 점은 모두 몇 개인지 곱셈식으로 나타내고 답을 구해 보세요.

식 _____ 답 _____

2-1 수 카드 6장이 있습니다. 이 중에서 2장을 골라 한 번씩만 사용하여 곱셈식을 만들려고 합니다. 수아는 곱이 가장 큰 곱셈식을 만들고, 시우는 곱이 가장 작은 곱셈식을 만들려고 합니다. 두 사람이 만든 곱셈식의 곱의 차는 얼마인지 구해 보세요.

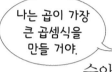 나는 곱이 가장 큰 곱셈식을 만들 거야. 수아

 2 7 0 1 6 9

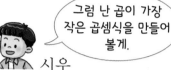 그럼 난 곱이 가장 작은 곱셈식을 만들어 볼게. 시우

(   )

- 구하려는 것: 두 사람이 만든 곱셈식의 곱의 차
- 주어진 조건: 수 카드 6장, 2장을 골라 한 번씩만 사용, 수아는 곱이 가장 큰 곱셈식을 만들고, 시우는 곱이 가장 작은 곱셈식을 만들려고 함
- 해결 전략: ❶ 곱이 가장 큰 곱셈식과 곱이 가장 작은 곱셈식 만들기
  ❷ 가장 큰 곱에서 가장 작은 곱을 빼기

2-2 수 카드 8장이 있습니다. 이 중에서 2장을 골라 한 번씩만 사용하여 곱셈식을 만들려고 합니다. 예준이는 곱이 가장 큰 곱셈식을 만들고, 지안이는 곱이 가장 작은 곱셈식을 만들려고 합니다. 두 사람이 만든 곱셈식의 곱의 차는 얼마인지 구해 보세요.

예준   2 5 8 4 3 7 6 9 지안

(1) 두 사람이 만든 곱셈식을 쓰고 곱을 구해 보세요.

예준: □ × □ = □

지안: □ × □ = □

(2) 두 사람이 만든 곱셈식의 곱의 차는 얼마인지 구해 보세요.

(   )

1 코뿔소의 다리는 모두 몇 개일까요?

(   )

2 수 카드 6장 중에서 2장을 골라 다음 곱셈식을 완성해 보세요.

$$\square \times \square = 56$$

3 똑같은 카드 6장이 다음과 같이 포개어져 있습니다. 카드에 그려진 ◆는 모두 몇 개인지 구해 보세요.

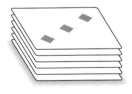

먼저 카드 한 장에 ◆가 몇 개 그려져 있는지 세어 보세요!

(   )

4 칠판에 적혀 있는 숫자 중에서 2개를 골라 곱셈식을 만들려고 합니다. 만들 수 있는

문제 해결   가장 큰 곱을 구해 보세요.

(   )

5 다음과 같이 색종이를 접은 다음 구멍을 뚫었습니다. 색종이를 펼쳤을 때 구멍은 모두 몇

창의·융합   개인지 곱셈식으로 나타내어 구해 보세요.

(1)

색종이를 접었을 때
겹쳐진 부분에 구멍이
같이 뚫려요.

$3 \times \boxed{} = \boxed{}$

(2)

색종이를 두 번 접었다
펼치면 접었던 선을
기준으로 같은 모양이
4군데에 생겨요.

$\boxed{} \times \boxed{} = \boxed{}$

① □가 있는 곱셈구구

$$2 \times \square = 12$$

곱해지는 수

곱해지는 수의 단 곱셈구구를 이용하여 □ 안에 알맞은 수를 찾습니다.

→ 2단 곱셈구구에서 곱이 12인 경우를 찾아봅니다.

$2 \times 1 = 2$, $2 \times 2 = 4$, $2 \times 3 = 6$, $2 \times 4 = 8$, $2 \times 5 = 10$, $2 \times 6 = 12$ ……

따라서 □ 안에 알맞은 수는 6입니다.

□×2=12와 같이 □가 앞에 있는 경우에는 어떻게 해야 할까요?

□×2=2×□=12 이므로 2단 곱셈구구를 이용해요.

활동 문제) 화살표 팻말에 적힌 수를 보고 자동차가 지나가야 하는 길을 선으로 표시해 보세요.

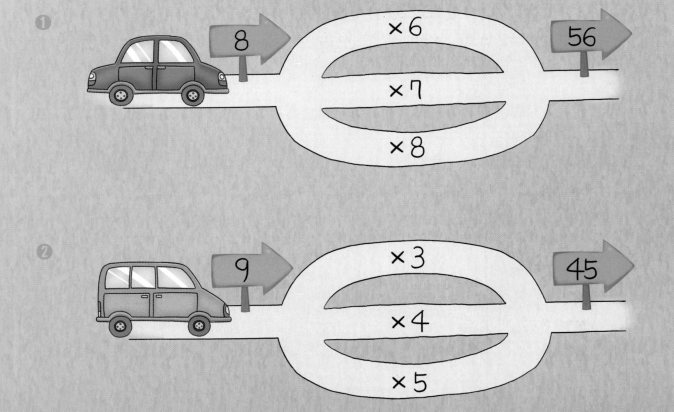

① 8 → ×6 / ×7 / ×8 → 56

② 9 → ×3 / ×4 / ×5 → 45

2 ☐ 안에 알맞은 수 구하기

$$\boxed{}\times6=4\times3$$

① 식에서 계산할 수 있는 부분을 먼저 계산하면 $4\times3=12$입니다.

➡ $\boxed{}\times6=12$

② $\boxed{}\times6=12$의 곱하는 두 수의 순서를 바꾸어도 계산 결과가 같습니다.

➡ $\boxed{}\times6=6\times\boxed{}=12$

③ 6단 곱셈구구에서 곱이 12인 경우를 찾으면 $6\times2=12$입니다.

➡ $\boxed{}$ 안에 알맞은 수는 2입니다.

활동 문제 양팔저울에 올려놓은 두 상자에 적혀 있는 곱셈식의 곱이 같을 때, ☐ 안에 알맞은 수를 찾아 ○표 하세요.

❶

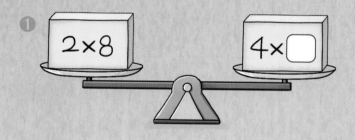

(1 , 2 , 3 , 4 , 5 , 6)

❷

(1 , 2 , 3 , 4 , 5 , 6)

❸

(4 , 5 , 6 , 7 , 8 , 9)

❹

(4 , 5 , 6 , 7 , 8 , 9)

1-1 □ 안에 들어갈 수 있는 수를 모두 찾아 ○표 하세요.

$$5 \times \square < 3 \times 9$$

(1 , 2 , 3 , 4 , 5 , 6 , 7 , 8 , 9)

❶ 식을 간단하게 만듭니다. ➡ 3×9를 먼저 계산합니다.
❷ 곱셈구구를 이용하여 □ 안에 들어갈 수 있는 수를 모두 구합니다. ➡ 5단 곱셈구구를 이용합니다.

1-2 1부터 9까지의 수 중에서 ★ 안에 들어갈 수 있는 수는 모두 몇 개인지 구해 보세요.

$$7 \times ★ < 4 \times 5$$

$4 \times 5 = \boxed{}$ 이므로 $7 \times ★ < \boxed{}$ 입니다.

7단 곱셈구구를 써 보면 $7 \times 1 = \boxed{}$, $7 \times 2 = \boxed{}$, $7 \times 3 = \boxed{}$ …… 입니다.

따라서 ★ 안에 들어갈 수 있는 수는 $\boxed{}$, $\boxed{}$ 로 모두 $\boxed{}$ 개입니다.

1-3 1부터 9까지의 수 중에서 □ 안에 들어갈 수 있는 수는 모두 몇 개인지 구해 보세요.

$$6 \times \square > 8 \times 5$$

(1) 8×5는 얼마인가요?

(　　　　　　　　)

(2) □ 안에 들어갈 수 있는 수를 모두 써 보세요.

(　　　　　　　　)

(3) □ 안에 들어갈 수 있는 수는 모두 몇 개인가요?

(　　　　　　　　)

2-1 어떤 수를 ♥로 하여 식을 만들고 어떤 수를 구해 보세요.

> 어떤 수에 8을 곱하였더니 24가 되었습니다.

답에는 ♥의 값을 써야 해요!

식 _____ ♥×□=□   답 _____

- 구하려는 것: 어떤 수를 ♥로 하여 만든 식, 어떤 수
- 주어진 조건: 어떤 수에 8을 곱하였더니 24, 어떤 수를 ♥로 나타내기
- 해결 전략: ❶ 어떤 수를 ♥로 하여 식 만들기
  ❷ 만든 식에서 ♥의 값 구하기

2-2 어떤 수를 □로 하여 식을 만들고 어떤 수를 구해 보세요.

> 어떤 수에 4를 곱하였더니 32가 되었습니다.

(1) 어떤 수를 □로 하여 식을 만들어 보세요.

식 _____

(2) (1)에서 만든 식에서 □ 안에 알맞은 수를 구해 보세요.

(   )

(3) 어떤 수는 얼마인가요?

(   )

2-3 9에 어떤 수를 곱하였더니 54가 되었습니다. 어떤 수를 □로 하여 식을 만들고 어떤 수를 구해 보세요.

식 _____

답 _____

1 □ 안에 들어갈 수 있는 수는 모두 몇 개일까요?

문제 해결

$$6 \times 3 < \boxed{} < 4 \times 6$$

(   )

2 □ 안에 알맞은 수가 가장 큰 식에 ○표, 가장 작은 식에 △표 하세요.

문제 해결

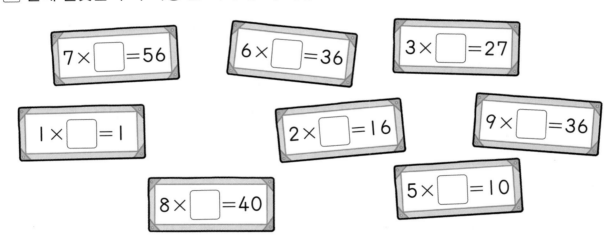

$$7 \times \boxed{} = 56$$

$$6 \times \boxed{} = 36$$

$$3 \times \boxed{} = 27$$

$$1 \times \boxed{} = 1$$

$$2 \times \boxed{} = 16$$

$$9 \times \boxed{} = 36$$

$$8 \times \boxed{} = 40$$

$$5 \times \boxed{} = 10$$

3 같은 모양은 같은 수를 나타냅니다. ♠가 나타내는 수는 얼마인지 구해 보세요.

추론

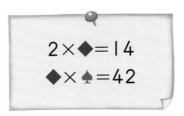

$$2 \times \blacklozenge = 14$$
$$\blacklozenge \times \spadesuit = 42$$

♦가 나타내는 수를 먼저 구해야 해요.

(   )

4
문제 해결

어떤 수를 □로 하여 식을 만들고 어떤 수를 구해 보세요.

> 8에 어떤 수를 곱하였더니 72가 되었습니다.

식 _____　　답 _____

5
추론

빈 곳에 알맞은 수를 써넣으세요.

	×	4	=	4
×	🌸	×	🌸	×
	×	2	=	
=	🌸	=	🌸	=
3	×		=	24

주어진 수가 많은 식부터
차례로 알아보세요.

6
코딩

시작 부분에 어떤 수를 넣으면 다음과 같은 순서에 따라 끝 부분으로 결과가 나옵니다.
시작 부분에 1을 넣었을 때 끝 부분으로 나오는 결과 값은 얼마일까요?

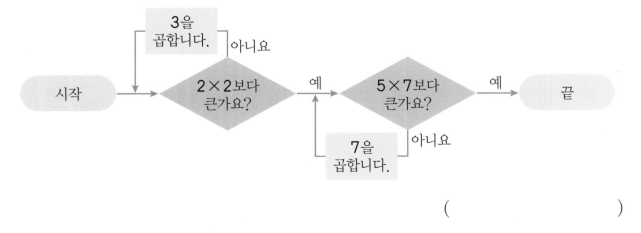

(　　　　　　)

1 4359부터 거꾸로 100씩 뛰어 센 수가 있는 점을 차례대로 잇고, 7124부터 10씩 뛰어 센 수가 있는 점을 차례대로 이어서 그림을 완성해 보세요. 창의·융합

2 어느 마을의 효자가 어머니 병을 고치기 위해 약초를 찾아 떠났습니다. 갈림길에서 곱셈을 하여 알맞은 곱이 쓰인 길을 따라가면 약초를 구할 수 있습니다. 효자가 약초를 구할 수 있도록 도와주세요. 문제 해결

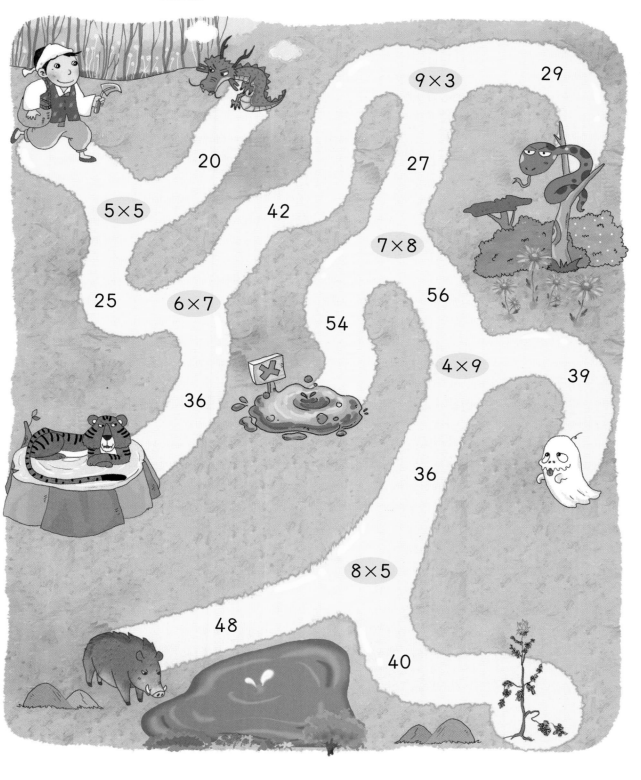

3 빈칸에 알맞은 수를 써넣으세요. 문제 해결

I 만큼 더 작은 수		I 만큼 더 큰 수
	4242	
	2000	
	8607	

I 0 만큼 더 작은 수		I 0 만큼 더 큰 수
	6789	
	1600	
	3994	

I 00 만큼 더 작은 수		I 00 만큼 더 큰 수
	2790	
	7000	
	4908	

4 6단 곱셈구구의 값을 작은 수부터 찾아 순서대로 선으로 이어 보세요. 창의·융합

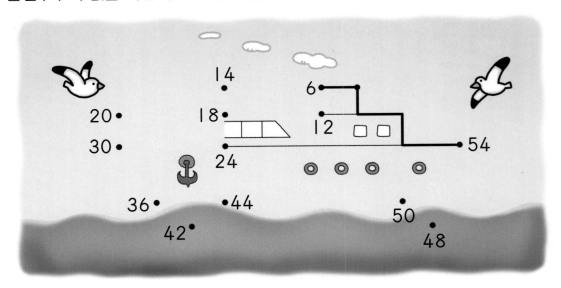

5 고대 잉카 문명에서는 끈을 매듭으로 묶어서 수를 나타내는 '키푸'라는 방법이 있었습니다. 키푸는 위에 있는 매듭이 더 큰 자리를 나타냅니다. 키푸로 나타낸 여러 자리 수를 보고 ☐ 안에 알맞은 수를 써넣으세요. 창의·융합

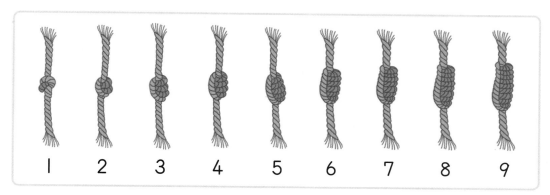

보기

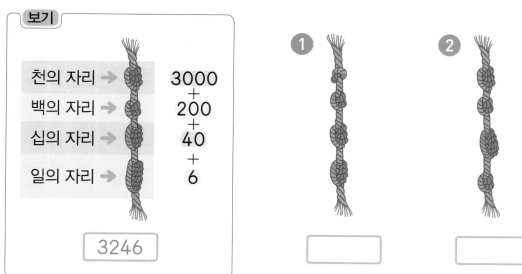

천의 자리 ➡	3000
백의 자리 ➡	+ 200
십의 자리 ➡	+ 40
일의 자리 ➡	+ 6

3246

6 8단 곱셈구구의 값은 노란색, 7단 곱셈구구의 값은 연두색으로 색칠해 보세요. 문제 해결

1주
특강

7 다음 문살 곱셈 방법을 보고 그림을 그려 곱셈을 해 보세요. 창의·융합

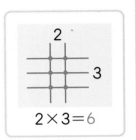

2×3 계산하기

① 세로로 **2**줄을 긋습니다.

② 그 위에 가로로 **3**줄을 긋습니다.

③ 세로줄과 가로줄이 만나는 점의 수를 세어 봅니다.

④ 점의 개수인 **6**이 **2×3**의 곱입니다.

➡ **2×3=6**

2×3=6

❶ 3×3

❷ 4×5

(　　　　　　　　　)　　　(　　　　　　　　　　)

8 다음 조건 을 모두 만족하는 네 자리 수를 구해 보세요. 추론

조건

· 5000보다 크고 6000보다 작은 수입니다.

· 백의 자리 숫자는 천의 자리 숫자보다 **3**만큼 더 큰 수입니다.

· 십의 자리 숫자는 백의 자리 숫자와 같습니다.

· 일의 자리 숫자는 십의 자리 숫자보다 **2**만큼 더 작은 수입니다.

(　　　　　　　　　　　　)

9 주먹구구법은 중세 유럽에서 사용되던 곱셈 방법으로 5보다 큰 수의 곱을 손가락을 사용하여 구하는 방법입니다. 주먹구구법을 사용하여 곱셈을 해 보세요. 창의·융합 문제 해결

1주
특강

주먹구구법

① 6부터 9까지의 수를 다음과 같이 손으로 나타냅니다.

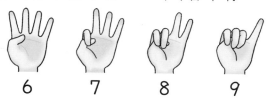

6   7   8   9

② 곱하는 두 수를 양손을 사용하여 각각 나타냅니다.

9×7

→ 한 손은 9를, 다른 한 손은 7을 나타냅니다.

③ 양손의 접은 손가락 수의 합을 계산 결과의 십의 자리에 쓰고, 편 손가락 수의 곱을 계산 결과의 일의 자리에 씁니다.

⌐ 접은 손가락 수의 합: 4+2=6
└ 편 손가락 수의 곱: 1×3=3   ➔   9×7=63

	접은 손가락 수의 합	편 손가락 수의 곱	계산 결과
7×8 ➔	□+□=□	□×□=□	□□
6×9 ➔	□+□=□	□×□=□	□□

10 네 자리 수 중에서 십의 자리 숫자가 7인 팔린드롬 수는 모두 몇 개일까요? 추론

□□7□

44, 101, 2552……와 같이 숫자를 거꾸로 읽어도 원래 수와 같은 수를 팔린드롬 수라고 해요.

(   )

누구나 100점 TEST

1 각 색깔별 쌓기나무가 나타내는 수를 다음과 같이 약속할 때, 다음 모양이 나타내는 수는 얼마인지 구해 보세요.

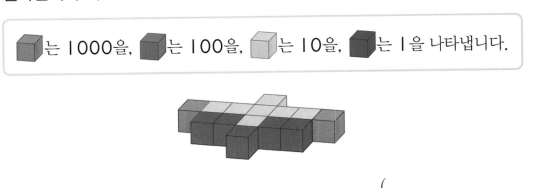

는 1000을, 는 100을, 는 10을, 는 1을 나타냅니다.

(   )

2 수 배열표를 보고 규칙을 찾아 각 모양에 알맞은 수를 구해 보세요.

2600	2700	2800	2900	◆
3600	3700	3800	3900	4000
♥	4700	4800	★	5000
5600	5700	5800	5900	6000

◆ (   )

♥ (   )

★ (   )

3 보기 의 화살표의 규칙에 따라 빈칸에 알맞은 수를 써넣으세요.

보기

➡: 100만큼 뛰어 세기

➡: 10만큼 뛰어 세기

⬇: 1000만큼 뛰어 세기

⬆: 1만큼 거꾸로 뛰어 세기

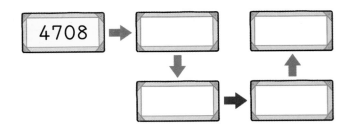

4 세계의 유명한 강의 길이를 조사한 것입니다. 길이가 긴 강부터 차례로 이름을 써 보세요.

강 이름	나일강	황허강	아마존강
길이(km)	6853	5464	6992

( )

5 같은 수만큼 점이 그려진 카드가 있습니다. 카드에 그려진 점은 모두 몇 개인지 구해 보세요.

( )

6 수 카드 5장이 있습니다. 이 중에서 2장을 골라 한 번씩만 사용하여 곱셈식을 만들려고 합니다. 곱이 가장 큰 곱셈식과 곱이 가장 작은 곱셈식을 만들어 보세요.

$$3 \quad 4 \quad 5 \quad 6 \quad 7$$

곱이 가장 큰 곱셈식: $\square \times \square = \square$

곱이 가장 작은 곱셈식: $\square \times \square = \square$

7 1부터 9까지의 수 중에서 $\square$ 안에 들어갈 수 있는 수는 모두 몇 개인지 구해 보세요.

$$6 \times \square > 7 \times 5$$

( )

곱셈표는 세로줄에 있는 수를 곱해지는 수, 가로줄에 있는 수를 곱하는 수로 하여 두 줄이 만나는 칸에 두 수의 곱을 써넣은 표예요.

×	4	5	6	7	8	9
2	8	10	12	14	16	18
3	12	15	18	21	24	27
4	16	20	24	28	32	36
5	20	25	30	35	40	45

곱셈표를 보면 $4 \times 9 = 36$이에요!

확인 문제

1-1 달걀이 한 판에 6개씩 담겨 있습니다. 7판에 담겨 있는 달걀은 모두 몇 개인지 곱셈식으로 나타내어 보세요.

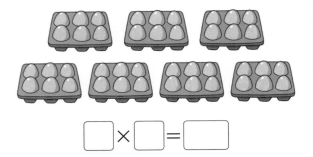

□ × □ = □

한번 더

1-2 문어의 다리는 8개입니다. 문어 5마리의 다리는 모두 몇 개인지 곱셈식으로 나타내어 보세요.

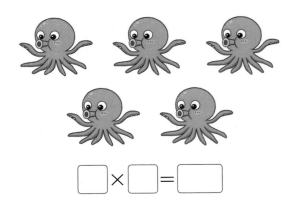

□ × □ = □

2-1 곱셈표를 완성해 보세요.

×	0	1	2	3
0				
1				
2				
3				

2-2 곱셈표를 완성해 보세요.

×	6	7	8	9
6				
7				
8				
9				

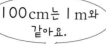

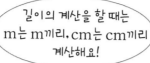

100 cm는 1 m와 같아요.

길이의 계산을 할 때는 m는 m끼리, cm는 cm끼리 계산해요!

100 cm = 1 m

· 길이의 합

$$
\begin{array}{r}
6 \text{ m } 25 \text{ cm} \\
+\ 2 \text{ m } 50 \text{ cm} \\
\hline
8 \text{ m } 75 \text{ cm}
\end{array}
$$

· 길이의 차

$$
\begin{array}{r}
9 \text{ m } 70 \text{ cm} \\
-\ 5 \text{ m } 40 \text{ cm} \\
\hline
4 \text{ m } 30 \text{ cm}
\end{array}
$$

확인 문제

3-1 ☐ 안에 알맞은 수를 써넣으세요.

(1) 4 m = ☐ cm

(2) 500 cm = ☐ m

한번 더

3-2 ☐ 안에 알맞은 수를 써넣으세요.

(1) 204 cm = ☐ m ☐ cm

(2) 7 m 20 cm = ☐ cm

4-1 ☐ 안에 알맞은 수를 써넣으세요.

464 cm = 400 cm + ☐ cm

= ☐ m + ☐ cm

= ☐ m ☐ cm

4-2 ☐ 안에 알맞은 수를 써넣으세요.

9 m 5 cm = ☐ m + ☐ cm

= ☐ cm + ☐ cm

= ☐ cm

5-1 계산해 보세요.

$$
\begin{array}{r}
3 \text{ m } 40 \text{ cm} \\
+\ 5 \text{ m } 35 \text{ cm} \\
\hline
☐ \text{ m } ☐ \text{ cm}
\end{array}
$$

5-2 계산해 보세요.

$$
\begin{array}{r}
6 \text{ m } 90 \text{ cm} \\
-\ 5 \text{ m } 70 \text{ cm} \\
\hline
☐ \text{ m } ☐ \text{ cm}
\end{array}
$$

1 조건을 모두 만족하는 수 구하기

> **조건**
> • 3단 곱셈구구의 곱 중에 있습니다.
> • 일의 자리 숫자가 8입니다.

3단 곱셈구구의 곱을 모두 써 보고 그중에서 일의 자리 숫자가 8인 수를 찾습니다.

×	1	2	3	4	5	6	7	8	9
3	3	6	9	12	15	18	21	24	27

→ 조건을 모두 만족하는 수는 18입니다.

활동 문제 동물들이 집을 찾아가려고 합니다. 동물들이 들고 있는 번호를 보고 맞는 길을 찾아가 집에 번호를 써넣으세요.

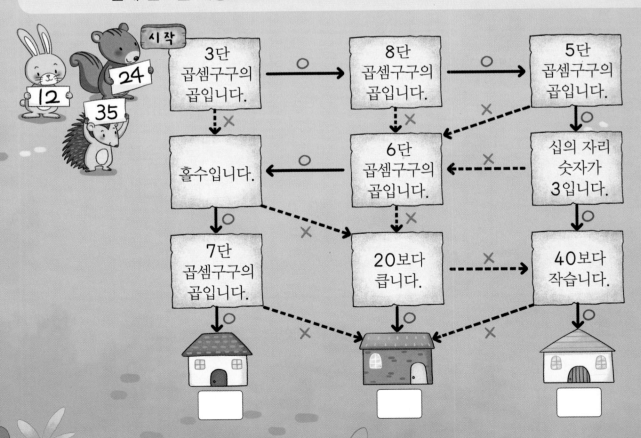

❷ 합과 곱이 주어진 두 수 구하기

주어진 합을 만족하는 두 수를 모두 찾은 다음 각 경우의 두 수의 곱을 구하여 조건을 모두 만족하는 두 수를 찾습니다.

예 합이 10이고, 곱이 21인 두 수 구하기

작은 수	1	2	3	4	5
큰 수	9	8	7	6	5
두 수의 곱	9	16	21	24	25

두 수의 합이 10인 경우를 모두 찾은 다음 두 수의 곱을 구해 봐요.

➡ 합이 10이고, 곱이 21인 두 수는 3과 7입니다.

활동 문제 보기 와 같이 표에서 조건을 만족하는 ◆, ●가 있는 칸에 색칠해 보세요.

보기

합이 12이고, 곱이 35인 두 수 ◆, ●

◆	9	8	7	6
●	3	4	5	6

❶ 합이 9이고, 곱이 14인 두 수 ◆, ●

◆	8	7	6	5
●	1	2	3	4

❷ 합이 8이고, 곱이 16인 두 수 ◆, ●

◆	7	6	5	4
●	1	2	3	4

❸ 합이 11이고, 곱이 28인 두 수 ◆, ●

◆	9	8	7	6
●	2	3	4	5

1-1 차가 5이고, 곱이 14인 두 수를 구하려고 합니다. 표를 완성하고 답을 구해 보세요.

작은 수	1	2	3	4
큰 수				
두 수의 곱				

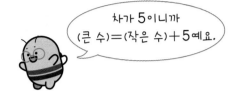

차가 5이니까 (큰 수)=(작은 수)+5예요.

( ), ( )

❶ 두 수의 차가 5인 경우를 알아봅니다. ➡ 표에 주어진 작은 수에 5를 더하여 큰 수를 구합니다.

❷ 각 경우의 두 수의 곱을 구합니다. ➡ (두 수의 곱)=(작은 수)×(큰 수)

❸ 표에서 곱이 14인 두 수를 찾습니다.

1-2 차가 2이고, 곱이 35인 두 수를 구해 보세요.

(1) 차가 2임을 이용하여 표를 완성해 보세요.

작은 수	1	2	3	4	5	6	7
큰 수							
두 수의 곱							

(2) (1)의 표에서 곱이 35인 두 수를 찾아 써 보세요.

( ), ( )

1-3 은수와 동생의 나이의 곱은 40입니다. 은수가 동생보다 3살 더 많을 때, 동생의 나이는 몇 살인지 표를 완성하고 답을 구해 보세요.

은수의 나이(살)	9	8	7	6	5	4
동생의 나이(살)						
두 사람 나이의 곱						

( )

2-1 세 사람의 대화를 보고 초콜릿을 많이 가지고 있는 사람부터 차례로 이름을 써 보세요.

난 초콜릿을 4개씩 8묶음 가지고 있어.

지현

나는 6개씩 6묶음을 가지고 있는데.

정훈

난 정훈이보다 2개 더 적게 가지고 있어.

희정

(   )

- 구하려는 것: 초콜릿을 많이 가지고 있는 사람부터 차례로 이름 쓰기
- 주어진 조건: 초콜릿을 지현이는 4개씩 8묶음, 정훈이는 6개씩 6묶음, 희정이는 정훈이보다 2개 더 적게 가지고 있음
- 해결 전략: ❶ 지현, 정훈, 희정이가 각각 가지고 있는 초콜릿의 개수 구하기
  ❷ 초콜릿의 수를 비교하여 많이 가지고 있는 사람부터 차례로 이름 쓰기

2-2 세 사람의 대화를 보고 사탕을 많이 가지고 있는 사람부터 차례로 이름을 써 보세요.

- 세영: 나는 사탕을 6개씩 4묶음을 가지고 있어.
- 선규: 난 세영이보다 5개 더 많이 가지고 있어.
- 재민: 난 9개씩 3묶음을 가지고 있어.

(   )

2-3 다음을 보고 색종이를 적게 가지고 있는 사람부터 차례로 이름을 써 보세요.

- 지민이는 색종이를 5장씩 9묶음을 가지고 있습니다.
- 준서는 색종이를 8장씩 6묶음을 가지고 있습니다.
- 소희는 색종이를 준서보다 4장 더 적게 가지고 있습니다.

(   )

1 계산 결과가 30보다 큰 곳을 따라 미로를 탈출해 보세요.

창의 · 융합

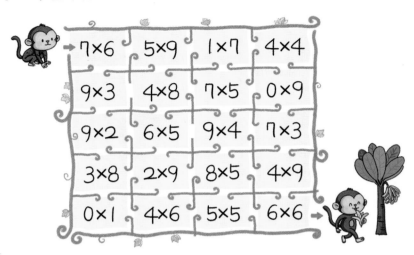

7×6	5×9	1×7	4×4
9×3	4×8	7×5	0×9
9×2	6×5	9×4	7×3
3×8	2×9	8×5	4×9
0×1	4×6	5×5	6×6

2 화살표 모양에 따라 다음과 같이 약속하기로 했습니다. 빈 곳에 알맞은 수를 써넣으세요.

코딩

화살표 약속	
➡	×3
⇢	−7

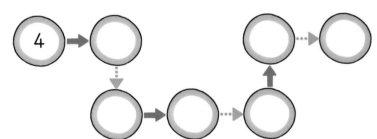

3 ♥와 ▲가 나타내는 수는 각각 얼마인지 구해 보세요. (단, ♥는 ▲보다 큽니다.)

추론

(1)

> ♥＋▲＝9
> ♥×▲＝20

♥ (   )

▲ (   )

(2)

> ♥－▲＝4
> ♥×▲＝32

♥ (   )

▲ (   )

▶ 정답 및 해설 11쪽

4 규칙에 맞는 수를 따라가 곰이 꿀을 먹을 수 있도록 도와주세요.

문제 해결

> 한 자리 수 그 수를 두 번 곱합니다.
>
> 두 자리 수 십의 자리 숫자와 일의 자리 숫자를 곱합니다.

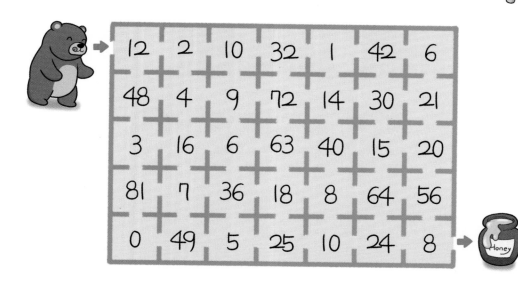

5 나는 어떤 수인지 구해 보세요.

추론

나는 어떤 수일까요?

· **7**단 곱셈구구에 나오는 수입니다.

· **3 × 8**보다 작습니다.

· **2 × 5**와 **2 × 4**를 더한 값보다 큽니다.

(   )

① 두 부분의 합으로 전체 수 구하기

나누어진 두 부분의 수를 각각 구한 후 더하여 전체의 수를 구할 수 있습니다.

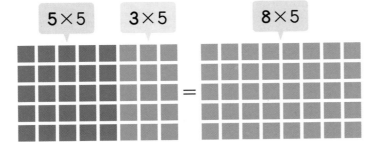

■의 수 ← 5×5=25	
+ ■의 수 ← 3×5=15	
■의 수 ← 8×5=40	

5×5와 3×5의 합은 8×5와 같아요!

두 부분으로 나누는 방법에 따라 여러 가지 방법으로 전체 수를 구할 수 있어요.

2×5와 6×5를 더한 값도 8×5와 같아요.

활동 문제　두 부분의 합으로 전체 수를 구해 보세요.

❶

$$2 × 3 = \boxed{}$$
$$+\ 5 × 3 = \boxed{}$$
$$7 × 3 = \boxed{}$$

❷

$$3 × 3 = \boxed{}$$
$$+\ 4 × 3 = \boxed{}$$
$$7 × 3 = \boxed{}$$

❸

$$6 × 3 = \boxed{}$$
$$+\ 1 × 3 = \boxed{}$$
$$7 × 3 = \boxed{}$$

❹

$$7 × 1 = \boxed{}$$
$$+\ 7 × 3 = \boxed{}$$
$$7 × 4 = \boxed{}$$

❺

$$7 × 2 = \boxed{}$$
$$+\ 7 × 2 = \boxed{}$$
$$7 × 4 = \boxed{}$$

❻

$$7 × 3 = \boxed{}$$
$$+\ 7 × 1 = \boxed{}$$
$$7 × 4 = \boxed{}$$

② 여러 가지 방법으로 전체 수 구하기

방법 1 두 부분의 합으로 전체 수 구하기(■ = ■ + ■)

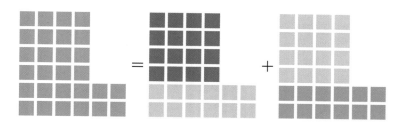

┌ ■의 수: $4 \times 4 = 16$
└ ■의 수: $6 \times 2 = 12$
→ 전체 수: $16 + 12 = 28$

방법 2 두 부분의 차로 전체 수 구하기(■ = ■ - ■)

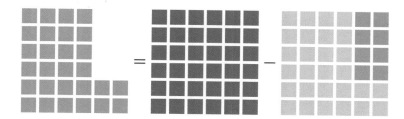

┌ ■의 수: $6 \times 6 = 36$
└ ■의 수: $2 \times 4 = 8$
→ 전체 수: $36 - 8 = 28$

활동 문제 여러 가지 방법으로 전체 수를 구해 보세요.

❶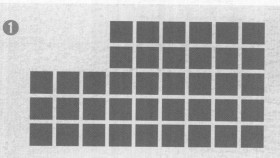

$6 \times 2 = 12$
$9 \times 3 = \boxed{}$
↓
$12 + \boxed{} = \boxed{}$

❷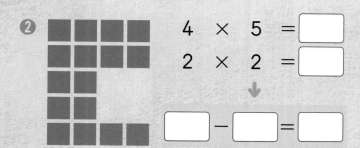

$4 \times 5 = \boxed{}$
$2 \times 2 = \boxed{}$
↓
$\boxed{} - \boxed{} = \boxed{}$

❸

$4 \times 6 = \boxed{}$
$2 \times \boxed{} = \boxed{}$
↓
$\boxed{} - \boxed{} = \boxed{}$

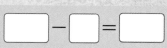

1-1 쌓여 있는 상자는 모두 몇 개인지 구해 보세요.

왼쪽과 오른쪽 두 부분으로 나누어서 상자의 수를 구해 보세요.

( )

❶ 두 부분으로 나누어 상자의 수를 구해 봅니다. ➡ 왼쪽: **3**개씩 **4**줄, 오른쪽: **3**개씩 **2**줄

❷ 나누어 구한 상자 수의 합을 구합니다. ➡ (전체 상자 수)=(왼쪽 상자 수)+(오른쪽 상자 수)

1-2 블록을 사용하여 다음과 같은 모양을 만들었습니다. 다음 모양을 만드는 데 사용한 블록은 모두 몇 개인지 구해 보세요.

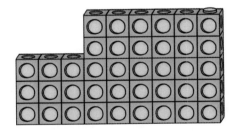

(1) 위 블록을 다음과 같이 두 부분으로 나누었습니다. 각 부분에 사용한 블록의 수를 구해 보세요.

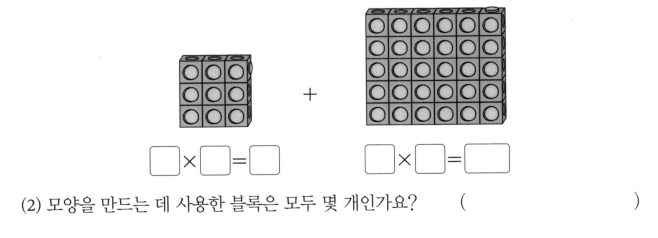

☐×☐=☐   ☐×☐=☐

(2) 모양을 만드는 데 사용한 블록은 모두 몇 개인가요?   ( )

2-1 지민이네 농장에는 말이 5마리 있고, 재원이네 농장에는 말이 3마리 있습니다. 두 농장에 있는 말의 다리는 모두 몇 개인지 구해 보세요.

(   )

- 구하려는 것: 두 농장에 있는 말의 다리 수의 합
- 주어진 조건: 지민이네 농장에 말이 5마리, 재원이네 농장에 말이 3마리
- 해결 전략: ❶ 지민이네 농장에 있는 말의 다리의 수 구하기
            ❷ 재원이네 농장에 있는 말의 다리의 수 구하기
            ❸ 두 농장에 있는 말의 다리 수의 합 구하기

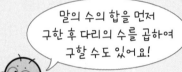

말의 수의 합을 먼저 구한 후 다리의 수를 곱하여 구할 수도 있어요!

2-2 사탕이 한 봉지에 5개씩 들어 있습니다. 사탕을 지안이는 2봉지 가지고 있고, 예준이는 6봉지 가지고 있습니다. 두 사람이 가지고 있는 사탕은 모두 몇 개인지 구해 보세요.

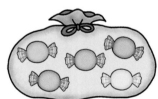

(1) 지안이가 가지고 있는 사탕은 몇 개일까요?

(   )

(2) 예준이가 가지고 있는 사탕은 몇 개일까요?

(   )

(3) 두 사람이 가지고 있는 사탕은 모두 몇 개일까요?

(   )

1 창의 · 융합

여우와 오리가 있습니다. 다리는 모두 몇 개인지 구해 보세요.

(1) 여우의 다리는 모두 몇 개인가요? ( )

(2) 오리의 다리는 모두 몇 개인가요? ( )

(3) 다리는 모두 몇 개인가요? ( )

2 추론

두 장의 색종이를 선을 따라 잘랐습니다. 연두색 조각은 2점씩, 빨간색 조각은 3점씩입니다. 오른쪽과 같이 모양을 만들었을 때, 만든 모양은 몇 점일까요?

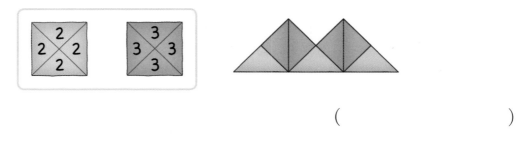

( )

3 문제 해결

나누어진 네 부분을 각각 곱셈식으로 나타내어 전체의 수를 구해 보세요.

● 의 수: □ × □ = □

● 의 수: □ × □ = □

● 의 수: □ × □ = □

● 의 수: □ × □ = □

➡ 전체 수: 9 × 9 = □

●, ●, ●, ● 의 수의 합이 9 × 9의 곱과 같은지 확인해 보세요.

4 문제 해결

●는 모두 몇 개인지 알아보려고 합니다. 보기 와 같이 사각형 모양이 되도록 ●의 위치를 옮겨서 곱셈식으로 나타내고 답을 구해 보세요.

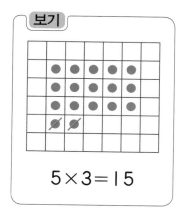

보기

$5 \times 3 = 15$

(1)

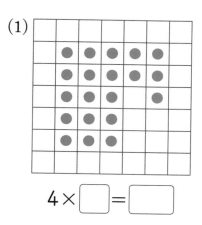

$4 \times \boxed{} = \boxed{}$

(2)

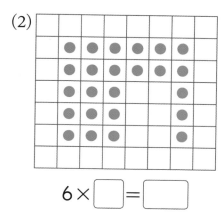

$6 \times \boxed{} = \boxed{}$

5 추론

시우는 블록을 사용하여 다음과 같은 모양을 만들었습니다. 다음 모양을 만드는 데 사용한 블록은 모두 몇 개인지 ☐ 안에 알맞은 수를 써넣고 답을 구해 보세요.

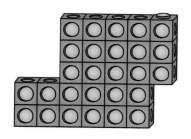

나는 $5 \times \boxed{}$ 과 $\boxed{} \times \boxed{}$ 를 더해서 구할게.

시우

(   )

6 창의·융합

7명의 학생이 가위바위보를 합니다. 3명은 가위를 내고, 2명은 바위를 내고, 2명은 보를 냈습니다. 펼친 손가락은 모두 몇 개인지 구해 보세요.

가위   바위   보

(   )

1 단위 바꾸기

100 cm=1 m임을 이용하여 몇 cm를 몇 m 몇 cm로 나타낼 수 있습니다.

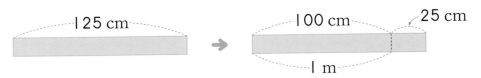

$$125 cm=100 cm+25 cm=1 m+25 cm=1 m\ 25 cm$$

참고 1 m=100 cm임을 이용하여 몇 m 몇 cm를 몇 cm로 나타낼 수도 있습니다.

예 3 m 40 cm=3 m+40 cm=300 cm+40 cm=340 cm

활동 문제 길이를 바르게 나타낸 비눗방울은 ○표, 틀리게 나타낸 비눗방울은 ✕표 해 보세요.

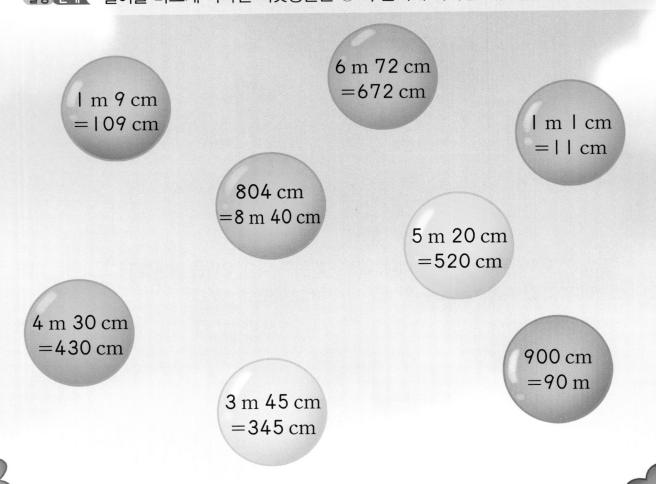

6 m 72 cm
=672 cm

1 m 9 cm
=109 cm

1 m 1 cm
=11 cm

804 cm
=8 m 40 cm

5 m 20 cm
=520 cm

4 m 30 cm
=430 cm

900 cm
=90 m

3 m 45 cm
=345 cm

▶ 정답 및 해설 12쪽

❷ 길이 비교하기

두 길이를 비교할 때에는 단위를 통일하여 나타내어 비교합니다.

240 cm

3 m 64 cm

① 주어진 길이의 **단위를 통일하여** 길이 비교하기

빨간색 끈의 길이의 단위를 바꾸어 나타내면 240 cm=2 m 40 cm입니다.

2 m 40 cm<3 m 64 cm이므로 노란색 끈이 더 깁니다.

② 두 끈의 **길이의 차** 구하기

(노란색 끈의 길이)ー(빨간색 끈의 길이)

=3 m 64 cm-2 m 40 cm=1 m 24 cm

길이의 차는 m는 m끼리,
cm는 cm끼리 빼면 됩니다.

활동 문제 긴 막대와 짧은 막대의 길이를 비교하여 ☐ 안에 알맞은 수를 써넣으세요.

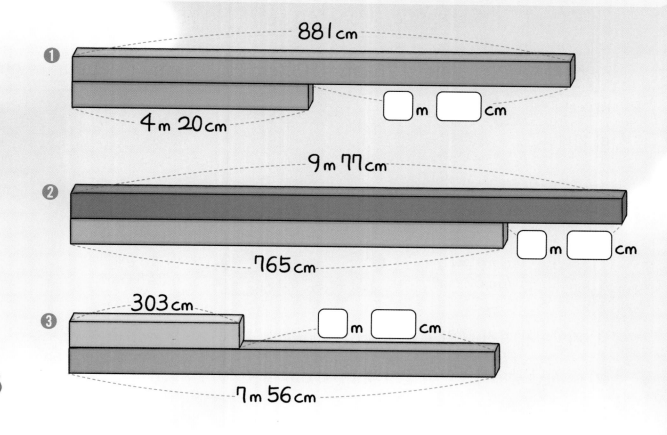

❶ 881 cm

4 m 20 cm

☐ m ☐ cm

❷ 9 m 77 cm

765 cm

☐ m ☐ cm

❸ 303 cm

☐ m ☐ cm

7 m 56 cm

1-1 수아와 시우 중에서 누구의 리본이 몇 cm 더 긴가요?

내가 가진 리본의 길이는 2 m 7 cm야. 수아

시우 내가 가진 리본의 길이는 220 cm야.

(   ), (   )

❶ 길이의 단위를 몇 m 몇 cm로 통일하여 나타냅니다.
❷ 길이를 비교하여 더 긴 리본을 가진 사람을 찾습니다.
❸ 두 길이의 차를 구합니다.

길이의 차를 구할 때 m는 m끼리, cm는 cm끼리 빼야 해요.

1-2 지민이와 사랑이가 가지고 있는 줄넘기의 길이를 잰 것입니다. 두 사람 중에서 누구의 줄넘기가 몇 cm 더 긴지 구해 보세요.

이름	지민	사랑
줄넘기의 길이	1 m 60 cm	175 cm

사랑이의 줄넘기의 길이는 175 cm＝100 cm＋☐ cm＝☐ m ☐ cm

이므로 ☐이의 줄넘기가 ☐ m ☐ cm－☐ m ☐ cm＝☐ cm

더 깁니다.

1-3 예준이와 지안이 중에서 누구의 끈이 몇 m 몇 cm 더 긴가요?

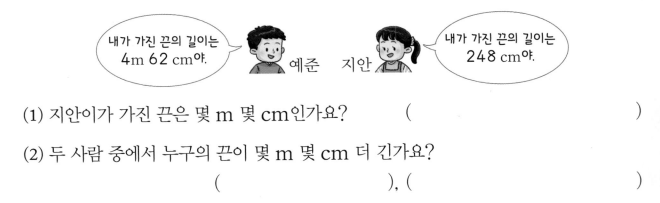

내가 가진 끈의 길이는 4m 62 cm야. 예준

지안 내가 가진 끈의 길이는 248 cm야.

(1) 지안이가 가진 끈은 몇 m 몇 cm인가요?   (   )

(2) 두 사람 중에서 누구의 끈이 몇 m 몇 cm 더 긴가요?

(   ), (   )

2-1 다음은 미선이가 신체검사를 하고 난 후 쓴 그림일기입니다. 미선, 수진, 석수를 키가 큰 순서대로 써 보세요.

2주
3일

오늘 학교에서 신체검사를 했다. 수진이는 키가 126cm라고 했고, 석수는 1m 25cm라고 했다. 나는 수진이보다 3cm 작았다. 앞으로는 편식 안 하고 골고루 잘 먹어서 내년엔 수진이보다 더 커야겠다.

(   )

- 구하려는 것: 미선, 수진, 석수를 키가 큰 순서대로 이름 쓰기
- 주어진 조건: 수진이의 키 126 cm, 석수의 키 1 m 25 cm, 미선이는 수진이보다 3 cm 작음
- 해결 전략: ❶ 수진이의 키를 몇 m 몇 cm로 바꾸어 나타내기
  ❷ 미선이의 키 구하기
  ❸ 세 사람의 키를 비교하여 키가 큰 순서대로 이름 쓰기

2-2 미술 시간에 희정, 정훈, 지현이가 나눈 대화를 보고 가지고 있는 색 테이프의 길이가 긴 사람부터 순서대로 써 보세요.

나는 색 테이프를 4 m 5 cm만큼 가지고 있어.

내가 가진 색 테이프의 길이는 410 cm야.

내가 가지고 있는 색 테이프의 길이는 희정이보다 6 cm 더 길어!

희정   정훈   지현

(   )

1 □ 안에 알맞은 수를 써넣으세요.

창의 · 융합

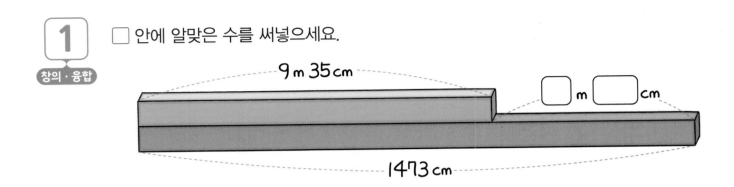

9 m 35 cm

□ m □ cm

1473 cm

2 세현이가 의자 위에 올라가 키를 재어 보았더니 1 m 79 cm였습니다. 의자의 높이가

추론 52 cm라면 세현이의 키는 몇 m 몇 cm인지 구해 보세요.

세현

1m 79 cm

52 cm

(   )

3 시우, 예준, 지안이가 나눈 대화를 보고 가지고 있는 노끈의 길이가 긴 사람부터 순서대로

문제 해결 이름을 써 보세요.

나는 노끈을
301 cm만큼
가지고 있어.

나는 2 m 85 cm
가지고 있어.

내가 가진 노끈은
예준이보다 7 cm 더 길어!

시우

예준

지안

(   )

4 학교에서 경희, 유정, 범석, 재일이네 집까지의 거리를 재어 보았더니 다음과 같았습니다. 물음에 답하세요.

창의·융합

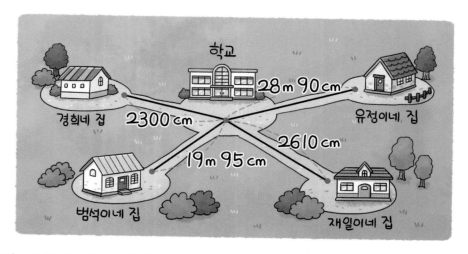

(1) 학교에서 경희네 집과 재일이네 집까지의 거리를 각각 몇 m 몇 cm로 나타내어 보세요.

학교에서 경희네 집까지의 거리 (　　　　　　　　　　　　　)

학교에서 재일이네 집까지의 거리 (　　　　　　　　　　　　　)

(2) 학교에서 두 번째로 가까운 곳에 사는 사람은 누구인가요?

(　　　　　　　　　　　　　)

5 수 카드 6장을 각각 한 번씩만 사용하여 가장 긴 길이 □ m □□ cm와 가장 짧은 길이 □ m □□ cm를 만들고, 그 차를 구해 보세요.

문제 해결

$$\boxed{2}\ \boxed{3}\ \boxed{4}\ \boxed{5}\ \boxed{7}\ \boxed{9}$$

가장 긴 길이: □ m □ □ cm

가장 짧은 길이: □ m □ □ cm

→ □ m □ □ cm − □ m □ □ cm ＿＿＿＿＿ □ m □ □ cm

1 지나가는 길의 거리 구하기

예 집에서 분식집을 지나 학교까지 가는 거리 구하기

집에서 분식집까지의 거리와 분식집에서 학교까지의 거리의 합을 구합니다.

→ (집에서 분식집까지의 거리)+(분식집에서 학교까지의 거리)

=35 m 25 cm+15 m 15 cm=50 m 40 cm

활동 문제 소율이네 동네 지도입니다. 소율이는 집에서 출발하여 은행을 지나 빵집까지 걸어갔습니다. 소율이가 걸어간 거리는 몇 m 몇 cm인지 구해 보세요.

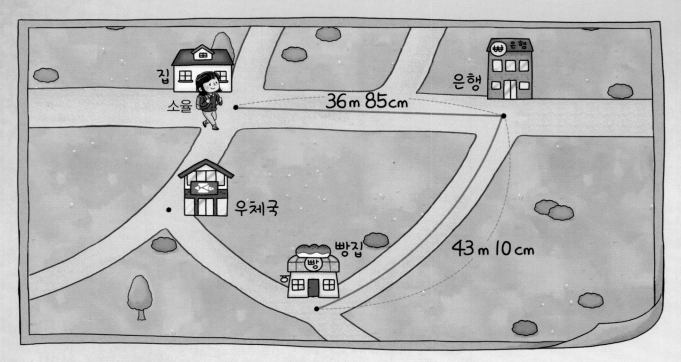

(소율이가 걸어간 거리)=(집에서 은행까지의 거리)+(은행에서 빵집까지의 거리)

= ☐ m ☐ cm+ ☐ m ☐ cm

= ☐ m ☐ cm

2 더 가까운 길 찾기

예 집에서 은행을 지나 마트로 가는 길과 집에서 마트로 바로 가는 길 중 더 가까운 길 찾기

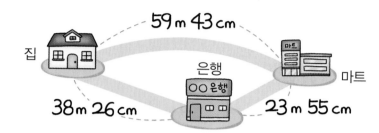

(집에서 은행을 지나 마트로 가는 길)

$=38 \text{ m } 26 \text{ cm} + 23 \text{ m } 55 \text{ cm} = 61 \text{ m } 81 \text{ cm}$

→ 59 m 43 cm < 61 m 81 cm이므로 집에서 마트로 바로 가는 길이

  61 m 81 cm−59 m 43 cm=2 m 38 cm만큼 더 가깝습니다.

활동 문제 천재 초등학교에서 병원으로 가는 3가지 길은 각각 몇 m 몇 cm인지 구해 보세요.

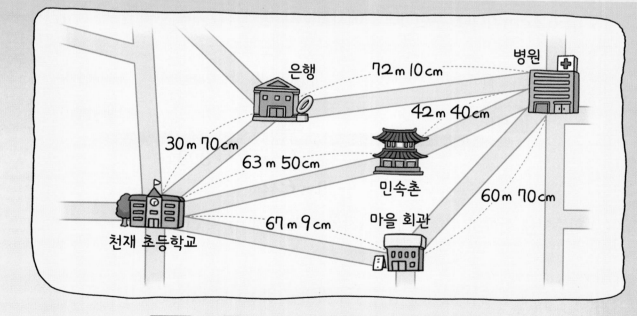

❶ 은행을 지나는 길: ☐ m ☐ cm + ☐ m ☐ cm = ☐ m ☐ cm

❷ 민속촌을 지나는 길: ☐ m ☐ cm + ☐ m ☐ cm = ☐ m ☐ cm

❸ 마을 회관을 지나는 길: ☐ m ☐ cm + ☐ m ☐ cm = ☐ m ☐ cm

1-1 집에서 병원까지의 거리는 915 cm이고, 집에서 학교까지의 거리는 21 m 35 cm 입니다. 병원에서 학교까지의 거리는 몇 m 몇 cm인지 구해 보세요.

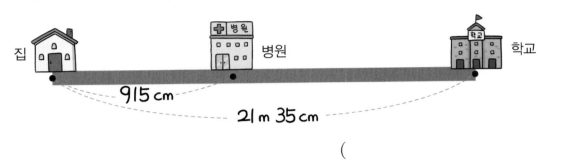

(   )

❶ 집에서 병원까지의 거리를 몇 m 몇 cm로 바꾸어 나타냅니다.
❷ 길이의 차를 이용하여 병원에서 학교까지의 거리를 구합니다.
➡ (병원에서 학교까지의 거리)=(집에서 학교까지의 거리)−(집에서 병원까지의 거리)

1-2 희준이네 집에서 수현이네 집까지의 거리는 808 cm이고, 민기네 집까지의 거리는 17 m 62 cm입니다. 수현이네 집에서 민기네 집까지의 거리는 몇 m 몇 cm인지 구해 보세요.

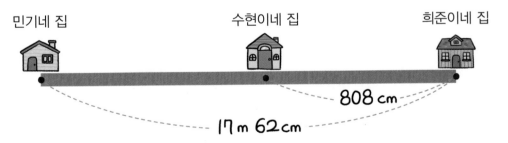

(1) 희준이네 집에서 수현이네 집까지의 거리는 몇 m 몇 cm인가요?

(   )

(2) 수현이네 집에서 민기네 집까지의 거리는 몇 m 몇 cm인지 식을 쓰고 답을 구해 보세요.

식 _____

답 _____

2-1 수정이네 집에서 소방서를 지나 도서관으로 가는 길과 우체국을 지나 도서관으로 가는 길 중에서 어느 곳을 지나는 길이 몇 m 몇 cm 더 가까운지 구해 보세요.

소방서
41 m 13 cm   43 m 25 cm
수정이네 집   도서관
57 m 42 cm   32 m 36 cm
우체국

[   ]을/를 지나는 길이 [   ] m [   ] cm 더 가깝습니다.

- 구하려는 것: 수정이네 집에서 도서관으로 가는 길 중에서 어느 곳을 지나는 길이 얼마나 더 가까운지 구하기
- 주어진 조건: 소방서를 지나는 길과 우체국을 지나는 길, 각 건물 사이의 거리
- 해결 전략: ❶ 수정이네 집에서 소방서를 지나 도서관으로 가는 길의 거리 구하기
  ❷ 수정이네 집에서 우체국을 지나 도서관으로 가는 길의 거리 구하기
  ❸ 두 거리를 비교하여 더 가까운 길을 찾고, 두 길의 거리의 차 구하기

2-2 학교에서 은행을 지나 서점으로 가는 길과 수영장을 지나 서점으로 가는 길 중에서 어느 곳을 지나는 길이 몇 m 몇 cm 더 가까운지 구해 보세요.

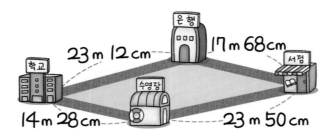

은행
23 m 12 cm   17 m 68 cm
학교   서점
수영장
14 m 28 cm   23 m 50 cm

(1) 학교에서 은행을 지나 서점으로 가는 길은 몇 m 몇 cm인가요?

(   )

(2) 학교에서 수영장을 지나 서점으로 가는 길은 몇 m 몇 cm인가요?

(   )

(3) 은행과 수영장 중에서 어느 곳을 지나는 길이 몇 m 몇 cm 더 가깝나요?

(   ), (   )

1 현미가 집에서 출발하여 병원을 가려고 합니다. 마트를 지나는 길과 놀이터를 지나는 길 중에서 어느 곳을 지나는 길이 더 가까운지 구해 보세요.

창의·융합

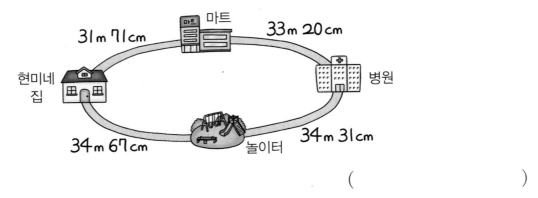

(   )

2 태호네 집에서 각 건물까지의 거리를 나타낸 그림입니다. 물음에 답하세요.

문제 해결

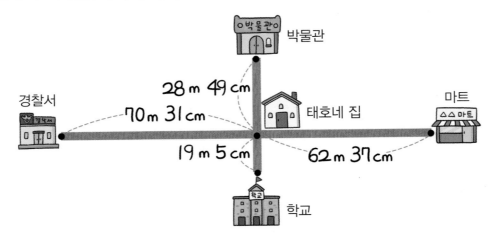

(1) 태호가 집에서 출발하여 학교를 갔다가 곧바로 다시 집으로 돌아왔습니다. 태호가 걸은 거리는 모두 몇 m 몇 cm인가요?

(   )

(2) 경찰서에서 태호네 집을 지나 박물관까지 가는 길은 몇 m 몇 cm인가요?

(   )

(3) 박물관에서 태호네 집을 지나 마트까지 가는 길은 경찰서에서 태호네 집을 지나 학교까지 가는 길보다 몇 m 몇 cm 더 먼가요?

(   )

▶ 정답 및 해설 14쪽

3 코딩

자동차가 각각 왼쪽 명령에 따라 길을 가려고 합니다. 명령에 따라 이동할 때, 두 자동차가 이동한 거리는 얼마나 차이가 나는지 알아보세요.

(1) ●은 빨간색 자동차의 위치를 나타냅니다. 빨간색 자동차가 명령에 따라 지나가는 길을 선으로 표시하고, 도착한 장소에 ×표 하세요.

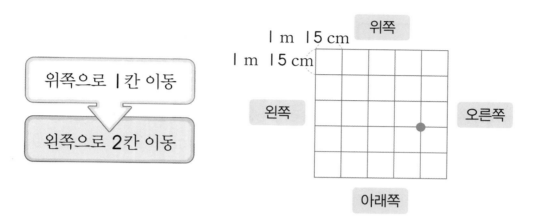

(2) ●은 파란색 자동차의 위치를 나타냅니다. 파란색 자동차가 명령에 따라 지나가는 길을 선으로 표시하고, 도착한 장소에 ×표 하세요.

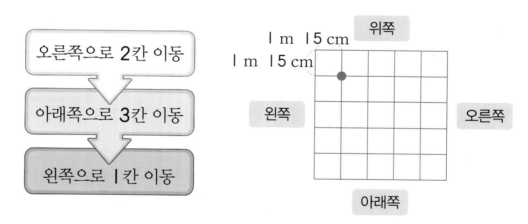

(3) 두 자동차가 이동한 거리는 각각 몇 m 몇 cm인가요?

빨간색 자동차 (   )

파란색 자동차 (   )

(4) 어느 색 자동차가 몇 m 몇 cm 더 많이 이동했나요?

(   ), (   )

1 굵은 선의 길이 구하기

굵은 선 중 길이가 같은 부분을 찾아 전체 길이를 구할 수 있습니다.

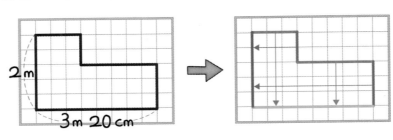

빨간색 선 2개의 길이의 합은 주황색 선의 길이와 같고, 하늘색 선 2개의 길이의 합은 초록색 선의 길이와 같아요.

→ (굵은 선의 길이)=3 m 20 cm+2 m+3 m 20 cm+2 m
=5 m 20 cm+3 m 20 cm+2 m=8 m 40 cm+2 m
=10 m 40 cm

활동 문제 굵은 선의 길이는 몇 m 몇 cm인지 구해 보세요.

❶

2 m 25 cm

3 m 15 cm

(   )

❷

1 m 8 cm

1 m 8 cm

(   )

❸

2 m 10 cm

3 m 15 cm

(   )

❹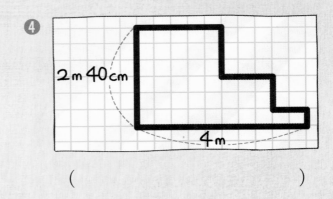

2 m 40 cm

4 m

(   )

2 **도형의 둘레 구하기**

종이를 접었을 때 겹치는 부분끼리 길이가 같음을 이용하여 도형의 둘레를 구합니다.

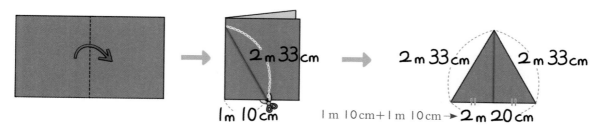

2 m 33 cm

1 m 10 cm

2 m 33 cm   2 m 33 cm

1 m 10 cm + 1 m 10 cm → 2 m 20 cm

→ (만들어진 도형의 둘레) = 2 m 33 cm + 2 m 33 cm + 2 m 20 cm
　　　　　　　　　　　　 = 4 m 66 cm + 2 m 20 cm
　　　　　　　　　　　　 = 6 m 86 cm

도형의 둘레는 도형의 테두리를 의미해요!

활동 문제 색종이를 반으로 접은 후 다음과 같이 오렸습니다. 색종이를 다시 펼쳤을 때 만들어진 도형의 각 변의 길이를 구하고, 도형의 둘레는 몇 m 몇 cm인지 구해 보세요.

❶
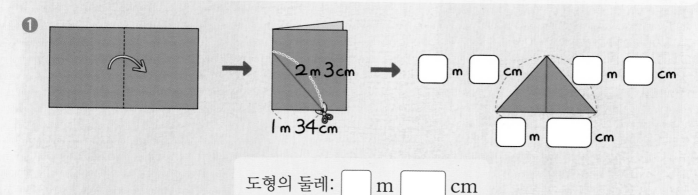

2 m 3 cm

1 m 34 cm

□ m □ cm   □ m □ cm

□ m □ cm

도형의 둘레: □ m □ cm

❷
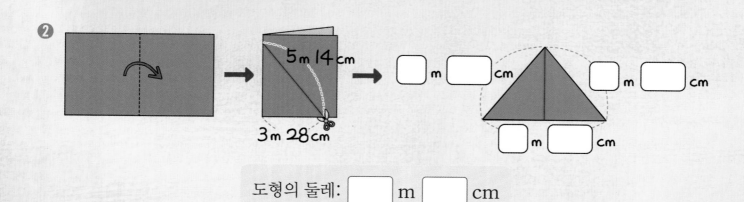

5 m 14 cm

3 m 28 cm

□ m □ cm   □ m □ cm

□ m □ cm

도형의 둘레: □ m □ cm

1-1 노란색 블록 조각을 이용하여 다음과 같은 모양을 만들었습니다. 만든 모양의 둘레는 몇 m 몇 cm인지 구해 보세요.

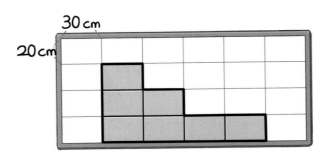

둘레에 길이가 30 cm인 선과 20 cm인 선이 각각 몇 개인지 세어 보세요.

(   )

❶ 굵은 선 중에서 길이가 30 cm인 선의 개수를 세어 길이의 합을 구합니다.
➡ 길이가 30 cm인 굵은 선이 8개이므로 30 cm를 8번 더합니다.
❷ 굵은 선 중에서 길이가 20 cm인 선의 개수를 세어 길이의 합을 구합니다.
➡ 길이가 20 cm인 굵은 선이 6개이므로 20 cm를 6번 더합니다.
❸ 만든 모양의 둘레는 ❶과 ❷에서 구한 길이의 합입니다.

1-2 그림에서 연두색 선의 전체 길이는 몇 m 몇 cm인지 구해 보세요.

길이가 12 cm인 선과 8 cm인 선이 각각 몇 개인지 세어 보세요.

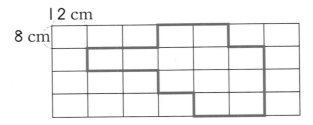

(1) 연두색 선 중에서 길이가 12 cm인 선은 몇 개인지 세어 보세요.

(   )

(2) 연두색 선 중에서 길이가 8 cm인 선은 몇 개인지 세어 보세요.

(   )

(3) 연두색 선의 전체 길이는 몇 m 몇 cm인가요?

(   )

2-1 그림과 같이 길이가 1 m 25 cm인 색 테이프 2장을 36 cm만큼 겹치게 이어 붙였습니다. 이어 붙인 색 테이프의 전체 길이는 몇 m 몇 cm인지 구해 보세요.

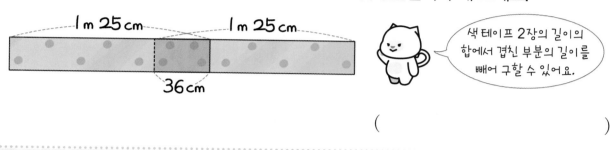

색 테이프 2장의 길이의 합에서 겹친 부분의 길이를 빼어 구할 수 있어요.

(   )

- 구하려는 것: 이어 붙인 색 테이프의 전체 길이
- 주어진 조건: 길이가 1 m 25 cm인 색 테이프 2장을 36 cm만큼 겹치게 이어 붙임
- 해결 전략: ❶ 색 테이프 2장의 길이의 합 구하기

  ❷ 이어 붙인 색 테이프의 전체 길이 구하기

  ➡ (이어 붙인 색 테이프의 전체 길이)=(색 테이프 2장의 길이의 합)−(겹친 부분의 길이)

겹친 부분의 수는 색 테이프의 장수보다 1만큼 작아요.

2-2 그림과 같이 길이가 1 m 23 cm인 막대 4개를 25 cm씩 겹치게 끈으로 묶어서 이었습니다. 이은 막대의 전체 길이는 몇 m 몇 cm인지 구해 보세요.

1 m 23 cm

25 cm

(1) 막대 4개의 길이의 합은 몇 m 몇 cm인가요?

(   )

(2) 겹친 부분은 몇 군데인가요?

(   )

(3) 겹친 부분의 길이의 합은 몇 cm인가요?

(   )

(4) 이은 막대의 전체 길이는 몇 m 몇 cm인가요?

(   )

1 다음 도형의 둘레는 몇 m 몇 cm인지 구해 보세요.

추론

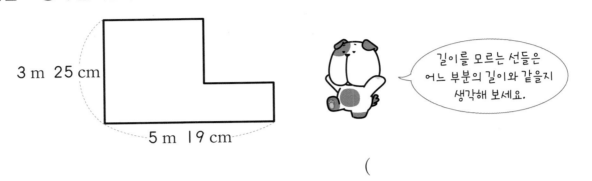

길이를 모르는 선들은 어느 부분의 길이와 같을지 생각해 보세요.

3 m 25 cm

5 m 19 cm

( )

2 반으로 접은 색종이를 다음과 같이 오렸습니다. 색종이를 다시 펼쳤을 때 만들어진 도형의 둘레는 몇 m 몇 cm인지 구해 보세요.

추론

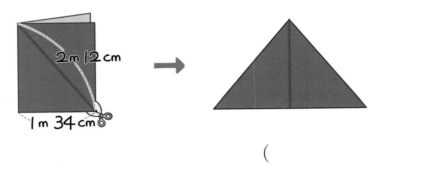

2 m 12 cm

1 m 34 cm

( )

3 문구점에서 학교까지의 거리는 몇 m 몇 cm인지 구해 보세요.

창의 · 융합

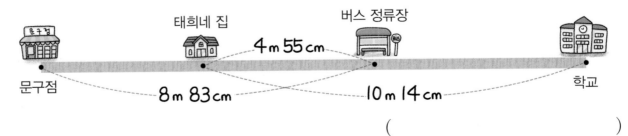

문구점   태희네 집   버스 정류장   학교

4 m 55 cm

8 m 83 cm   10 m 14 cm

( )

4

문제 해결

길이가 3 m 17 cm인 색 테이프와 길이가 5 m 48 cm인 색 테이프를 1 m 3 cm 만큼 겹치게 이어 붙였습니다. 이어 붙인 색 테이프의 전체 길이는 몇 m 몇 cm인지 구해 보세요.

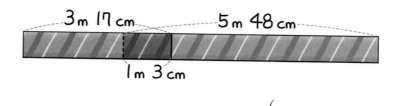

(   )

5

창의·융합

재성이네 동네의 그림지도입니다. 물음에 답하세요.

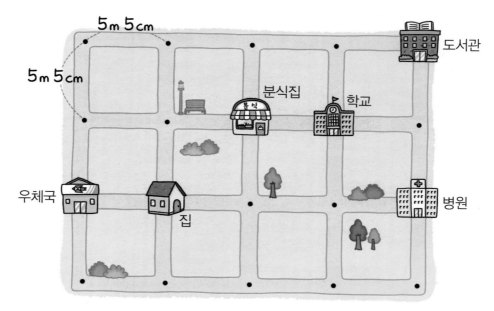

(1) 재성이가 집에서 출발하여 다음과 같은 순서대로 갔다가 다시 집으로 돌아왔습니다. 가장 가까운 길로 다녀왔다고 할 때, 재성이가 지나간 길을 선으로 표시해 보세요.
(단, 한 번 지나간 길은 다시 지나가지 않았습니다.)

집 ➡ 분식집 ➡ 학교 ➡ 도서관 ➡ 병원 ➡ 집

(2) 재성이가 걸은 거리는 모두 몇 m 몇 cm인가요?

(   )

1 미로에서 곱이 더 큰 쪽으로 가면 엄마를 만날 수 있습니다. 미로를 잘 찾아가도록 도와 주세요. (단, 지나온 곳은 되돌아갈 수 없습니다.) 창의·융합 문제 해결

2 동물 친구들이 모여서 낚시를 하고 있습니다. 계산 결과가 적힌 물고기를 잡을 수 있도록 선으로 이어 보세요. 창의·융합

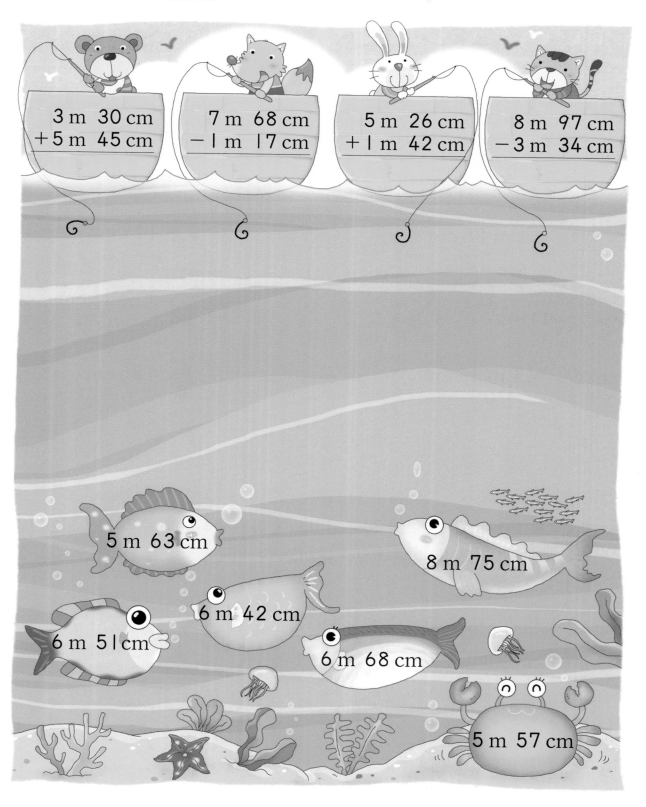

3 빈 곳에 알맞은 수를 써넣으세요. 코딩

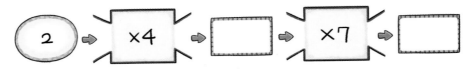

4 동물들의 키를 나타낸 것입니다. 키가 같은 동물끼리 선으로 이어 보세요. 문제 해결

1 m 25 cm ·　　　　　　　　· 119 cm

134 cm ·　　　　　　　　· 1 m 34 cm

1 m 19 cm ·　　　　　　　　· 125 cm

5 주사위를 던졌을 때 윗면의 눈의 수와 바닥에 닿은 면의 눈의 수의 합은 항상 7입니다. 주사위 2개를 던졌더니 다음과 같이 나왔습니다. 바닥에 닿은 두 면의 눈의 수의 곱을 구해 보세요. 창의·융합

윗면

(　　　　　　　　　　　)

6 보기 와 같이 곱셈구구를 이용하여 그림을 완성해 보세요. 문제 해결 코딩

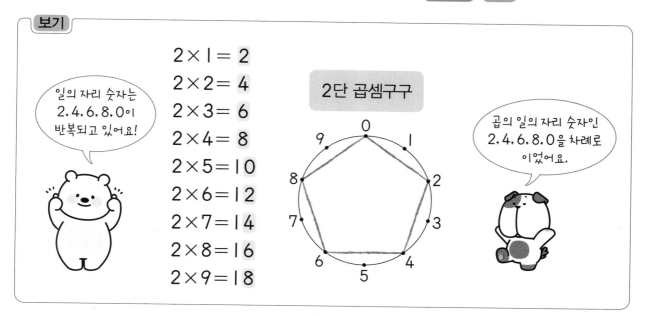

보기

$2 \times 1 = 2$
$2 \times 2 = 4$
$2 \times 3 = 6$
$2 \times 4 = 8$
$2 \times 5 = 10$
$2 \times 6 = 12$
$2 \times 7 = 14$
$2 \times 8 = 16$
$2 \times 9 = 18$

일의 자리 숫자는 2, 4, 6, 8, 0이 반복되고 있어요!

2단 곱셈구구

곱의 일의 자리 숫자인 2, 4, 6, 8, 0을 차례로 이었어요.

① 곱셈표를 완성해 보세요.

6단 곱셈표

×	1	2	3	4	5	6	7	8	9
6									

8단 곱셈표

×	1	2	3	4	5	6	7	8	9
8									

② 곱의 일의 자리 숫자를 차례대로 이어 보세요.

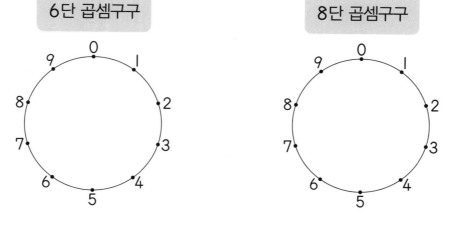

6단 곱셈구구

8단 곱셈구구

7 곱셈표를 보고 물음에 답하세요. 문제 해결

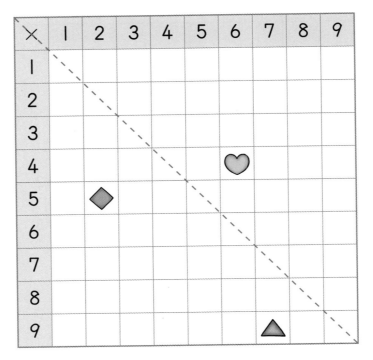

① 각 모양이 나타내는 수를 구해 보세요.

◆ (   ), ♥ (   ), ▲ (   )

② 곱셈표를 점선을 따라 접었을 때 각 모양이 있는 칸과 만나는 곳에 알맞은 수를 써넣으세요.

8 ☐ 안에 알맞은 수를 써넣으세요. 추론

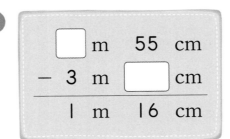

①

$$\begin{array}{r} 2\ \text{m}\ \boxed{}\ \text{cm} \\ +\ \boxed{}\ \text{m}\ \ 45\ \text{cm} \\ \hline 7\ \text{m}\ \ 91\ \text{cm} \end{array}$$

②

$$\begin{array}{r} \boxed{}\ \text{m}\ \ 55\ \text{cm} \\ -\ 3\ \text{m}\ \boxed{}\ \text{cm} \\ \hline 1\ \text{m}\ \ 16\ \text{cm} \end{array}$$

▶정답 및 해설 17쪽

9 내 몸의 일부를 이용하여 방의 길이를 재려고 합니다. 다음 방법으로 잴 때 재는 횟수가 많은 것부터 차례로 기호를 써 보세요. 창의·융합

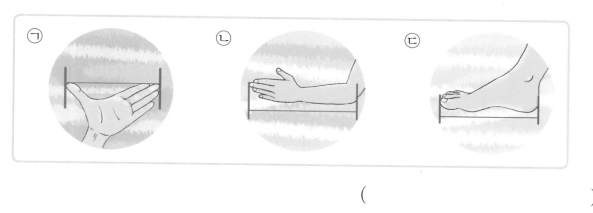

(   )

10 세 막대의 길이를 보고 다음과 같이 막대를 겹치지 않게 이어 붙였을 때 ☐ 안에 알맞은 수를 써넣으세요. 추론

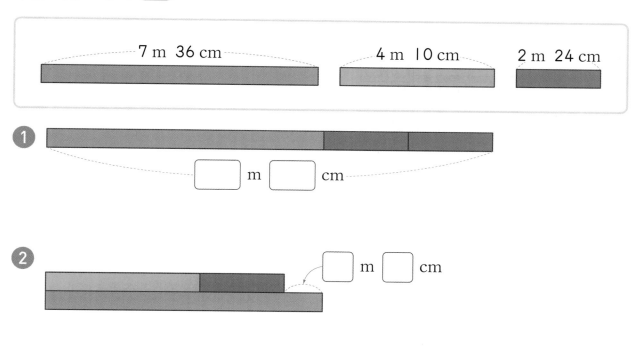

1 세 사람의 대화를 보고 젤리를 많이 가지고 있는 사람부터 차례로 이름을 써 보세요.

희정   세호   정훈

( )

2 지안이는 블록을 사용하여 다음과 같은 모양을 만들었습니다. 다음 모양을 만드는 데 사용한 블록은 모두 몇 개인지 ☐ 안에 알맞은 수를 써넣고 답을 구해 보세요.

나는 6 × ☐ 와 2 × ☐ 를 더해서 블록의 수를 구할 거야.

지안

( )

3 소정이와 장군이가 가지고 있는 노끈의 길이를 잰 것입니다. 두 사람 중에서 누구의 노끈이 몇 m 몇 cm 더 긴지 구해 보세요.

이름	소정	장군
노끈의 길이	265 cm	3 m 72 cm

( ), ( )

▶ 정답 및 해설 18쪽

4 편의점에서 은행까지의 거리는 605 cm이고, 편의점에서 우체국까지의 거리는 15 m 40 cm입니다. 은행에서 우체국까지의 거리는 몇 m 몇 cm인지 구해 보세요.

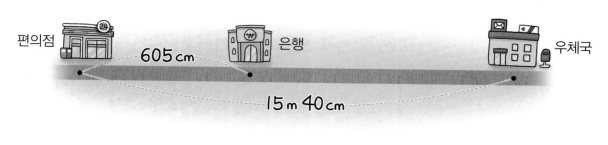

(   )

5 주황색 블록 조각을 이용하여 다음과 같은 모양을 만들었습니다. 만든 모양의 둘레는 몇 m 몇 cm인지 구해 보세요.

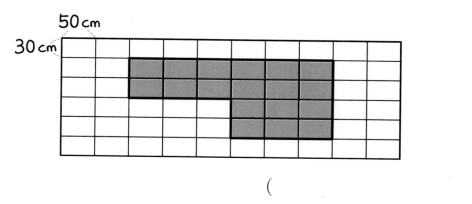

(   )

6 길이가 4 m 36 cm인 리본과 길이가 2 m 49 cm인 리본을 1 m 10 cm만큼 겹치게 이어 붙였습니다. 이어 붙인 리본의 전체 길이는 몇 m 몇 cm인지 구해 보세요.

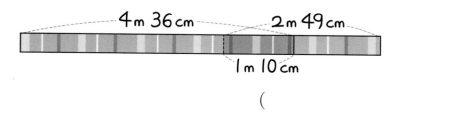

(   )

짧은바늘 ➔ | 시간

짧은바늘이 한 바퀴를
도는 시간: | 2시간

긴바늘 ➔ 5분

긴바늘이 한 바퀴를
도는 시간: | 시간

시각 읽기

2시 40분

확인 문제

1-1 시각을 읽어 보세요.

(1)

□시 □분

(2)

□시 □분

한번 더

1-2 시각을 몇 시 몇 분 전으로 나타내어 보세요.

(1)

□시 □분 전

(2)

□시 □분 전

2-1 시각에 맞게 긴바늘을 그려 넣으세요.

9시 35분

2-2 시각에 맞게 긴바늘을 그려 넣으세요.

4시 | 0분 전

오전 12시간, 오후 12시간

하루=24시간

월, 화, 수, 목, 금, 토, 일요일

1주일=7일

1월, 2월, 3월……11월, 12월

1년=12개월

학생들이 좋아하는 색깔별 학생 수

색깔	빨강	파랑	노랑	합계
학생 수(명)	////	////	///	
	3	5	2	10

조사한 전체 학생 수는 합계를 보면 쉽게 알 수 있어요.

/ → 1개   //// → 5개

확인 문제

한번 더

3-1 어느 해 5월 달력을 보고 물음에 답하세요.

일	월	화	수	목	금	토
	1	2	3	4	5	6
7	8	9	10	11	12	13
14	15	16	17	18	19	20
21	22	23	24	25	26	27
28	29	30	31			

(1) 5월 5일 어린이날은 무슨 요일일까요?

( )

(2) 토요일은 몇 번 있나요?

( )

3-2 어느 해 6월 달력을 보고 물음에 답하세요.

일	월	화	수	목	금	토
				1	2	3	4
5	6	7	8	9	10	11
12	13	14	15	16	17	18
19	20	21	22	23	24	25
26	27	28	29	30		

(1) 6월 6일 현충일은 무슨 요일일까요?

( )

(2) 수요일은 몇 번 있나요?

( )

4-1 시우네 반 학생들이 좋아하는 색깔을 조사하였습니다. 표로 나타내어 보세요.

지안 예준 시우 미소 수미

민준 은우 지호 지원 민서

좋아하는 색깔별 학생 수

색깔	빨강	파랑	노랑	초록	합계
학생 수(명)					

4-2 지유네 반 학생들이 좋아하는 색깔을 조사하였습니다. 표로 나타내어 보세요.

지유 서윤 도윤 하은 주원

서아 시원 은서 혜민 소민

좋아하는 색깔별 학생 수

색깔	빨강	파랑	노랑	초록	합계
학생 수(명)					

1 **더 빠르게 가는 시계 바르게 맞추기**

예 현재 시각보다 1시간 5분 빠른 시계입니다.

3시 20분의 1시간 5분 전 시각 구하기

2시 15분이 되도록 시곗바늘을 맞춥니다.

3시 20분

3시 20분

│1시간전

2시 20분

│5분전

2시 15분

2시 15분

활동 문제 현재 시각보다 몇 시간 몇 분 빠른지 보고 현재 시각을 구해 보세요.

❶ 현재 시각보다 2시간 10분 빠릅니다.

현재 시각

❷ 현재 시각보다 1시간 20분 빠릅니다.

현재 시각

❸ 현재 시각보다 3시간 30분 빠릅니다.

현재 시각

2 더 느리게 가는 시계 바르게 맞추기

예 현재 시각보다 2시간 30분 느린 시계입니다.

4시 10분의 2시간 30분 후 시각 구하기

6시 40분이 되도록 시곗바늘을 맞춥니다.

4시 10분

6시 40분

6시 40분

30분 후 → 6시 40분

6시 10분

2시간 후 → 4시 10분

4시 10분

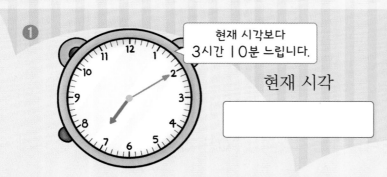

활동 문제 현재 시각보다 몇 시간 몇 분 느린지 보고 현재 시각을 구해 보세요.

❶ 현재 시각보다 3시간 10분 느립니다.

현재 시각

❸ 현재 시각보다 1시간 5분 느립니다.

❷ 현재 시각보다 4시간 10분 느립니다.

현재 시각

현재 시각

1-1 다음 시계는 현재 시각의 120분 전의 시각을 나타내고 있습니다. 현재 시각은 몇 시 몇 분인지 구해 보세요.

현재 시각은 시계가 나타내는 시각의 120분 후의 시각이에요.

(　　　　　　　　　　)

❶ 120분은 몇 시간 몇 분인지 구합니다.　❷ 시계가 나타내는 시각을 알아봅니다.

❸ 시계가 나타내는 시각의 120분 후의 시각을 구합니다.

1-2 다음 시계가 나타내는 시각은 현재 시각보다 100분 빠릅니다. 현재 시각은 몇 시 몇 분인지 구해 보세요.

100분은 1시간 ☐ 분입니다.

시계가 나타내는 시각은 ☐ 시 ☐ 분입니다.

시계가 나타내는 시각의 100분 전의 시각을 구하면 현재 시각입니다. 따라서 현재 시각은 ☐ 시 ☐ 분입니다.

1-3 다음 시계가 나타내는 시각은 현재 시각보다 90분 느립니다. 현재 시각을 구해 보세요.

(1) 90분은 몇 시간 몇 분인가요?

(　　　　　　　　　　)

(2) 왼쪽 시계가 나타내는 시각을 구해 보세요.

(　　　　　　　　　　)

(3) 현재 시각을 구해 보세요.

(　　　　　　　　　　)

2-1 고장 난 시계가 나타내는 시각은 현재 시각보다 5분 느립니다. 현재 시각이 11시 3분 전일 때 고장 난 시계에 시곗바늘을 그려 넣으세요.

시계가 고장 났어요.

- 구하려는 것: 고장 난 시계의 시곗바늘 그리기
- 주어진 조건: 고장 난 시계가 나타내는 시각은 현재 시각보다 5분 느리고 현재 시각은 11시 3분 전임.
- 해결 전략: ❶ 현재 시각이 몇 시 몇 분인지 알아보기 ❷ 현재 시각보다 5분 느린 시각 구하기
  ❸ 고장 난 시계에 시곗바늘 그리기

2-2 고장 난 시계가 나타내는 시각은 현재 시각보다 30분 느립니다. 현재 시각이 9시 7분 전일 때 오른쪽의 고장 난 시계에 시곗바늘을 그려 넣으세요.

고장 난 시계 →

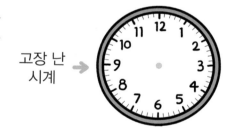

2-3 전지가 닳아 멈춘 손목시계가 있습니다. 멈춘 시계가 나타내는 시각은 현재 시각보다 1시간 5분 빠릅니다. 현재 시각이 12시 10분 전일 때 두 시계에 시곗바늘을 그려 넣으세요.

← 현재 시각

멈춘 시계 →

1 중국 베이징의 시각은 우리나라보다 한 시간 늦고, 인도네시아 자카르타의 시각은 우리나라보다 2시간 늦습니다. 우리나라의 시각이 10시일 때 베이징과 자카르타의 시각을 나타내어 보세요.

창의·융합

우리나라   베이징   자카르타

2 다음 시계가 나타내는 시각은 현재 시각보다 70분 느립니다. 현재 시각은 몇 시 몇 분인지 구해 보세요.

문제 해결

(   )

3 아침 7시에 해가 떴습니다. 해가 뜨고 11시간 10분 후에 해가 졌다면 해가 진 시각은 오후 몇 시 몇 분인지 구해 보세요.

문제 해결

해가 진 시각은 오후 ☐ 시 ☐ 분입니다.

4 추론 | 시간에 5분씩 빨라지는 고장 난 시계가 있습니다. | 2시에서 주어진 시간만큼 시간이 흘렀을 때 고장 난 시계가 가리키는 시각을 시계에 나타내어 보세요.

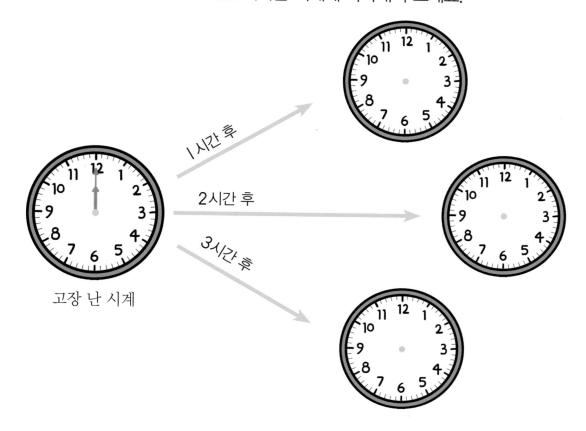

고장 난 시계

5 창의·융합 다음은 거울에 비친 시계의 모습입니다. | 시간 전에는 몇 시 몇 분이었는지 오른쪽 시계에 나타내어 보세요.

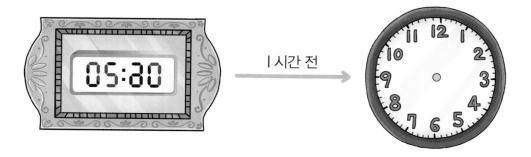

1 몇 월 달력인지 알아보기

- 마지막 날이 31일인 달력

| 28 | 29 | 30 | 31 | | | |

→ 1월, 3월, 5월, 7월, 8월, 10월, 12월 달력 중 하나입니다.

- 마지막 날이 30일인 달력

| 28 | 29 | 30 | | | | |

→ 4월, 6월, 9월, 11월 달력 중 하나입니다.

- 마지막 날이 28일 또는 29일인 달력

| 27 | 28 | | | | | |

| | 26 | 27 | 28 | 29 | | |

→ 2월 달력입니다.

같은 해 중에 31일이 연속해서 있는 달은 7월과 8월뿐이에요.

활동 문제 다음은 같은 연도의 6, 7, 8, 9월의 달력입니다. 각각 몇 월 달력인지 ☐ 안에 알맞은 수를 써넣으세요.

☐월

일	월	화	수	목	금	토
	1	2	3	4	5	6
7	8	9	10	11	12	13
14	15	16	17	18	19	20
21	22	23	24	25	26	27
28	29	30	31			

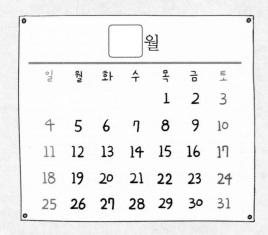

☐월

일	월	화	수	목	금	토
				1	2	3
4	5	6	7	8	9	10
11	12	13	14	15	16	17
18	19	20	21	22	23	24
25	26	27	28	29	30	31

☐월

일	월	화	수	목	금	토
1	2	3	4	5	6	7
8	9	10	11	12	13	14
15	16	17	18	19	20	21
22	23	24	25	26	27	28
29	30					

☐월

일	월	화	수	목	금	토
						1
2	3	4	5	6	7	8
9	10	11	12	13	14	15
16	17	18	19	20	21	22
23	24	25	26	27	28	29
30						

2 하루의 요일을 알 때 달력 채우기

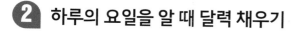

| 일 | 월 | 화 | 수 | 목 | 금 | 토 |

➡ 1주일=7일

> 7일마다 같은 요일이 반복됩니다.

예 4월 3일이 수요일일 때 달력 채우기

① '수' 글자 아래에 3을 써넣습니다.

② 3 아래에 7씩 커지는 수를 써넣습니다.

③ 수요일의 오른쪽에는 1씩 커지는 수를, 왼쪽에는 1씩 작아지는 수를 써넣습니다.

일	월	화	수	목	금	토
	1	2	3	4	5	6
7	8	9	10	11	12	13
14	15	16	17	18	19	20
21	22	23	24	25	26	27
28	29	30				

> 4월은 30일까지 있습니다.

3주 2일

활동 문제 종이에 적힌 글을 보고 달력의 일부분을 완성해 보세요.

❶
오늘은 6월 5일이고, 수요일이에요. 이번 주의 날짜를 달력에 써넣으세요.

일	월	화	수	목	금	토

❷
오늘은 7월 9일이고, 토요일이에요. 이번 주의 날짜를 달력에 써넣으세요.

일	월	화	수	목	금	토

❸
오늘은 3월 26일이고, 금요일이에요. 이달의 금요일의 날짜를 달력에 써넣으세요.

금

❹
오늘은 6월 15일이고, 목요일이에요. 이달의 목요일의 날짜를 달력에 써넣으세요.

목

1-1 어느 해의 연속된 두 달의 달력입니다. 각각 몇 월의 달력인지 구해 보세요.

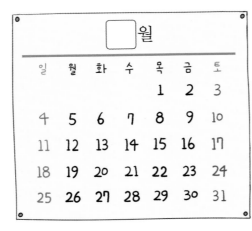 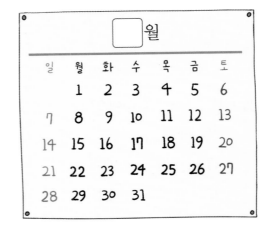

❶ 각 달의 마지막 날이 며칠인지 살펴봅니다.   ❷ 연속된 두 달은 몇 월과 몇 월인지 알아봅니다.

❸ 요일이 이어지는 부분을 찾아 달력에 몇 월인지 써넣습니다.

1-2 같은 해의 연속된 세 달의 달력입니다. 연속된 세 달은 몇 월인지 구해 보세요. (달력은 순서대로 놓여 있지 않을 수도 있습니다.)

ⓛ 달력은 마지막 날의 날짜가 ☐ 일이므로 ☐ 월 달력입니다. ⓒ 달력은 31일

까지 있으므로 ⓛ 달력의 이전 달 또는 다음 달인데 1일이 ☐ 요일이므로 ☐ 월 달

력입니다. ⊙ 달력은 30일까지 있으므로 ⓒ 달력의 다음 달인 ☐ 월 달력입니다.

따라서 연속된 세 달은 ☐ 월, ☐ 월, ☐ 월입니다.

2-1 다음은 지호가 만든 생일 잔치 초대장입니다. 초대장을 보고 6월 달력의 날짜를 모두 써넣으세요.

날짜: 6월 7일
목요일
장소: 우리 집

6월

일	월	화	수	목	금	토

- 구하려는 것: 6월 달력의 날짜 채우기
- 주어진 조건: 6월 7일 목요일
- 해결 전략: ❶ 목요일의 어느 부분에 7을 써야 하는지 알아보기
  ❷ 6월은 며칠까지 있는지 알아보기 ❸ 6월 달력의 날짜 모두 채우기

2-2 핼러윈은 10월의 마지막 날에 열리는 축제입니다. 올해는 핼러윈이 수요일일 때 10월 달력을 완성하고 핼러윈 날에 ○표 하세요.

핼러윈
10월
마지막 날

10월

일	월	화	수	목	금	토

2-3 어느 해의 3월 14일은 토요일이었습니다. 그해의 3월 달력을 1일부터 14일까지 완성하고, *삼일절은 무슨 요일이었는지 구해 보세요. *삼일절: 3·1운동을 기념하는 국경일로 3월 1일입니다.

3월

일	월	화	수	목	금	토

(   )

1
창의 · 융합

지안이는 일요일마다 수영장에 갑니다. 달력에 주스를 쏟아서 달력이 일부분만 보일 때 3월 한 달 동안 지안이가 수영장에 가는 날짜를 모두 구해 보세요.

일요일의 날짜가 안 보여요.

지안

3월

화
3
10
16
23   26 27 28
30

_____

_____

2
창의 · 융합

다음을 보고 5월 달력을 1일부터 16일까지 완성하고 결혼식을 하는 날에 ○표 하세요.

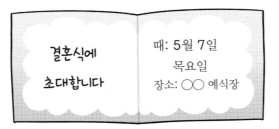

결혼식에
초대합니다

때: 5월 7일
목요일
장소: ○○ 예식장

5월

일	월	화	수	목	금	토

3
추론

다음은 같은 해 10월, 11월, 12월의 달력입니다. 순서대로 놓여 있지 않을 때 10월 9일 한글날은 무슨 요일인지 구해 보세요.

(   )

4 문제 해결

다음은 어느 해 4월 달력의 화요일입니다. 달력을 보고 같은 해 3월의 마지막 날과 5월의 첫 번째 날은 무슨 요일인지 구해 보세요.

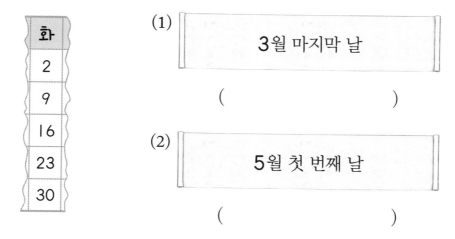

화
2
9
16
23
30

(1)

3월 마지막 날

(   )

(2)

5월 첫 번째 날

(   )

5 추론

다음은 연속된 세 달의 달력을 순서대로 놓은 것입니다. 세 번째 달은 며칠까지 있는지 구해 보세요.

첫 번째

두 번째

세 번째

(   )

1 며칠 후의 날짜 구하기

- 며칠 후의 날짜가 같은 달인 경우

  예 5월 22일의 3일 후 날짜 구하기

  → 22+3=25 → 5월 25일

5월

5월 22일의 3일 후

21	22	23	24	25	26	27
						①
28	29	30	31			
②	③	④	⑤			

5월 26일의 1일 후

- 며칠 후의 날짜가 다음 달인 경우

  예 5월 26일의 10일 후 날짜 구하기

  → 26+10=36 – 5월 31일을 넘어갑니다.

  → 36−31=5 – 31을 뺍니다.

  → 6월 5일

6월

5월 26일의 10일 후

일	월	화	수	목	금	토
				1⑥	2⑦	3⑧
4⑨	→5⑩	6	7	8	9	10
11	12	13	14	15	16	17

활동 문제 　다음을 보고 달력의 날짜가 적힌 칸에 제헌절, 대서, 중복, 입추를 알맞게 써넣으세요.

- *제헌절은 7월 17일입니다.
- *제헌절의 6일 후는 *대서입니다.
- *제헌절의 9일 후는 *중복입니다.
- 중복의 12일 후는 *입추입니다.

7월

17	18	19	20	21	22	23
24	25	26	27	28	29	30
31						

8월

일	월	화	수	목	금	토
	1	2	3	4	5	6
7	8	9	10	11	12	13

*제헌절: 우리나라의 헌법을 만든 것을 기념하는 국경일.　　*대서: 몹시 심한 더위
*중복: 여름철의 몹시 더운 기간인 삼복 중에서 두 번째 날　　*입추: 가을이 시작된다고 하는 날

2 며칠 전의 날짜 구하기

- 며칠 전의 날짜가 같은 달인 경우

  예 10월 15일의 3일 전 날짜 구하기

  ➡ 15−3=12 ➡ 10월 12일

9월

20	21	22	23	24	25	26⑫
27⑪	28⑩	29⑨	30⑧			

10월 8일의 12일 전

- 며칠 전의 날짜가 이전 달인 경우

  예 10월 8일의 12일 전 날짜 구하기

  ➡ 8에서 12를 뺄 수 없습니다.

  ➡ 8+30=38, 38−12=26

  ➡ 9월 26일

  9월의 날수인 30을 8에 더합니다.

10월

10월 8일의 1일 전

일	월	화	수	목	금	토
				1⑦	2⑥	3⑤
4④	5③	6②	7①	8	9	10
11	12	13	14	15	16	17

10월 15일의 3일 전

활동 문제 다음을 보고 달력의 날짜가 적힌 칸에 추석, 백로, 처서, 광복절을 알맞게 써넣으세요.

- *추석은 9월의 두 번째 토요일입니다.
- 추석의 2일 전은 *백로입니다.
- 백로의 16일 전은 *처서입니다.
- 추석의 26일 전은 *광복절입니다.

8월

14	15	16	17	18	19	20
21	22	23	24	25	26	27
28	29	30	31			

9월

일	월	화	수	목	금	토
				1	2	3
4	5	6	7	8	9	10

*백로: 24절기의 하나로 풀잎에 이슬이 맺힌다는 뜻
*처서: 24절기의 하나로 더운 기운이 멈춘다는 뜻
*광복절: 우리나라의 광복을 기념하기 위하여 제정한 국경일

1-1 어느 해의 *동지는 *입동의 44일 후입니다. 입동이 11월 7일일 때 동지는 몇 월 며칠인지 구해 보세요.

*동지: 일 년 중 밤이 가장 길고 낮이 가장 짧은 날
*입동: 이날부터 겨울이라는 뜻

(   )

❶ 7에 44를 더한 값을 알아봅니다.　　　　❷ 11월의 날수를 알아봅니다.

❸ 위 ❶에서 구한 수에서 11월의 날수만큼 뺍니다.

1-2 어느 해의 개천절은 10월 첫 번째 토요일이었습니다. 농업인의 날은 개천절의 39일 후일 때 농업인의 날은 몇 월 며칠인지 구해 보세요.

개천절은 ☐월 ☐일입니다.

↓

☐+39=☐

위의 결과에서 10월의 날수를 뺍니다.

따라서 농업인의 날은 11월 ☐일입니다.

1-3 5월 8일 어버이날의 10일 전은 충무공 이순신 탄신일입니다. 충무공 이순신 탄신일은 몇 월 며칠인지 구해 보세요.

(1) 4월은 며칠까지 있나요?　　　　　　　　(   )

(2) 충무공 이순신 탄신일은 몇 월 며칠인가요?　(   )

2-1 디데이는 어떤 일이 일어나는 날을 뜻하는 말로 쓰입니다. 디데이 하루 전은 D−1, 2일 전은 D−2, 3일 전은 D−3……과 같이 나타내어 디데이까지 남은 날을 나타내기도 합니다. 달력을 보고 오늘은 어떻게 나타낼 수 있는지 ☐ 안에 알맞은 수를 써넣으세요.

10월

일	월	화	수	목	금	토
	1	2	3	4	5	6
7	8	9	10	11	12	13
14	15	16	★17★ 내 생일	18	19	20

오늘은 10월 5일입니다.

오늘은 내 생일의 D−☐입니다.

3주
3일

- 구하려는 것: 오늘은 내 생일의 며칠 전인지 구하기
- 주어진 조건: 오늘은 10월 5일, 내 생일은 10월 17일
- 해결 전략: ❶ 17과 5의 차 구하기   ❷ 오늘이 내 생일의 며칠 전인지 디데이로 나타내기

2-2 오늘은 6월 20일입니다. 달력을 보고 오늘은 여행을 가는 날의 며칠 전인지 디데이로 나타내어 보세요.

7월

일	월	화	수	목	금	토
			1	2	3	4
5	6	7	8	9	⑩ 여행가기	11

오늘은 6월 20일입니다.

오늘은 여행을 가는 날의 D−☐입니다.

2-3 오늘은 11월 29일입니다. 방학식을 12월 26일에 할 때 오늘은 방학식을 하는 날의 며칠 전인지 디데이로 나타내어 보세요.

오늘은 11월 29일입니다.

오늘은 방학식을 하는 날의 D−☐입니다.

1 오늘은 8월 10일입니다. 달력을 보고 오늘은 추석의 며칠 전인지 디데이로 나타내어 보세요.

창의 · 융합

9월

일	월	화	수	목	금	토
	1	2	3	4	5	6
7	8	9	10	11	12	13 추석

오늘은 8월 10일입니다.

오늘은 추석의 D−□ 입니다.

2 일력은 그날의 날짜와 요일이 한 장에 쓰여 있어 하루에 한 장씩 떼어 사용하는 달력입니다. 물음에 답하세요.

추론

(1)

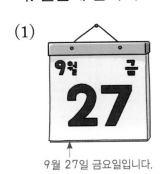

9월 27일 금요일입니다.

왼쪽 일력에서 20장을 앞에서부터 차례로 떼었다면 몇 월 며칠이 될까요?

( )

(2)

오른쪽 일력에서 40장을 앞에서부터 차례로 떼었다면 몇 월 며칠이 될까요?

( )

3
다음을 보고 친구들의 생일은 몇 월 며칠인지 구해 보세요.

오늘의 날짜: 9월 19일	생일
내 생일은 25일 지났어요.	
내 생일은 37일 후예요.	
내 생일은 39일 지났어요.	
내 생일은 29일 후예요.	

3주
3일

4
디데이의 하루 전은 D−1, 이틀 전은 D−2, *사흘 전은 D−3과 같이 나타냅니다.
D−10인 날이 8월 20일일 때 빈 곳에 알맞은 날짜를 써넣으세요. *사흘: 3일

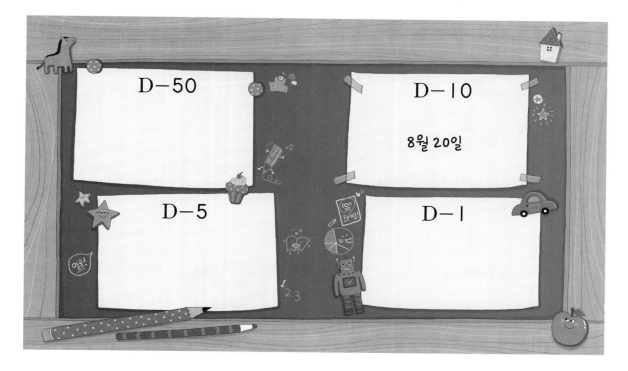

1 며칠 동안인지 구하기

- 시작과 끝이 같은 달인 경우
  (마지막 날)−(시작하는 날)+1
  예 7월 19일부터 7월 24일까지
  ➡ 24−19+1=5+1=6(일)

- 끝나는 날이 다음 달인 경우
  마지막 날의 날짜에 시작하는 달의
  날수를 더하고 계산합니다.
  예 7월 27일부터 8월 6일까지
  ➡ ① 6+31=37 ② 37−27+1=10+1=11(일)
  　　　　　↑
  　　　7월의 날수

7월
　　　　　　　　　　　　(24−19+1)일
| 18 | 19 | 20 | 21 | 22 | 23 | 24 |
| 25 | 26 | 27 | 28 | 29 | 30 | 31 |

8월

일	월	화	수	목	금	토
1	2	3	4	5	6	7

6+31=37,
(37−27+1)일

활동 문제　며칠 동안인지 □ 안에 알맞은 수를 써넣으세요.

❶

12월 22일부터 내년 1월
24일까지 겨울 방학입니다.

➡ 겨울 방학 기간은
　□일입니다.

❷

해수욕장을 7월 15일부터
8월 25일까지 운영합니다.

➡ 해수욕장 운영 기간은 □일입니다.

❸

10월 16일부터
11월 3일까지 단풍 축제가
열립니다.

➡ 단풍 축제는 □일 동안 열립니다.

2 몇 시간 동안인지 구하기

오전: 전날 밤 **12**시부터 낮 **12**시까지 **12**시간

오후: 낮 **12**시부터 밤 **12**시까지 **12**시간

하루(**1**일): **24**시간

예 **2**월 **12**일 오전 **6**시부터 **2**월 **13**일 오후 **5**시까지의 시간 구하기

2월 **12**일 오전 **6**시

24시간 후 ➡ **2**월 **13**일 오전 **6**시

6시간 후 ➡ **2**월 **13**일 낮 **12**시

5시간 후 ➡ **2**월 **13**일 오후 **5**시

➡ **2**월 **12**일 오전 **6**시부터 **2**월 **13**일 오후 **5**시까지의 시간: $24+6+5=35$(시간)

밤 12시 / 밤 9시 / 새벽 3시 / 저녁 6시 / 오후 오전 / 아침 6시 / 낮 3시 / 아침 9시 / 낮 12시

활동 문제 박람회, 전시회, 축제가 각각 몇 시간 동안 열리는지 구해 보세요.

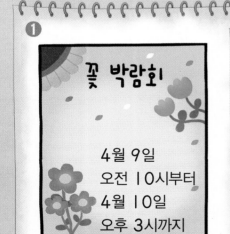

① 꽃 박람회

4월 9일 오전 10시부터 4월 10일 오후 3시까지

꽃 박람회는 ☐ 시간 동안 열립니다.

② 도자기 전시회

9월 10일 오후 3시부터 9월 11일 오전 9시까지

도자기 전시회는 ☐ 시간 동안 열립니다.

③ 콩 축제

11월 1일 오전 11시부터 11월 2일 오후 5시까지

콩 축제는 ☐ 시간 동안 열립니다.

1-1 수아는 매일 책을 한 권씩 읽고 독서 붙임딱지를 1장씩 붙였습니다. 6월 12일부터 7월 8일까지 붙인 독서 붙임딱지는 모두 몇 장인지 구해 보세요.

( )

- 6월 12일부터 7월 8일까지는 모두 며칠인지 구합니다.
- 6월은 30일까지 있습니다. ➡ 8+30=38, 38에서 12를 빼고 1을 더합니다.

1-2 지석이네 학교는 7월 14일부터 8월 13일까지 여름 방학입니다. 여름 방학은 모두 며칠 인지 구해 보세요.

(1) 7월의 날수는 며칠인가요?

( )

(2) 7월 14일부터 8월 13일까지는 모두 며칠인가요?

( )

1-3 3월 15일부터 4월 19일까지 신데렐라 연극 공연을 매일 하기로 했습니다. 연극을 며칠 동안 하는지 구해 보세요.

3월은 ☐일까지 있습니다.

마지막 날의 날짜인 19에 3월의 날수를 더하면

19+☐=☐입니다.

따라서 ☐−15+1=☐(일) 동안 연극을 합니다.

2-1 준서는 집에서 출발하여 고모 댁에 7월 30일 오후 5시에 도착하였습니다. 고모 댁에서 다음 날 오후 7시에 나와 집으로 다시 돌아왔습니다. 준서가 고모 댁에 있었던 시간은 모두 몇 시간인지 구해 보세요.

 다음 날

(   )

- 구하려는 것: 고모 댁에 있었던 시간
- 주어진 조건: 7월 30일 오후 5시에 도착, 다음 날 오후 7시에 나옴.
- 해결 전략: ❶ 도착한 시각부터 다음 날 오후 5시까지의 시간 구하기
  ❷ 다음 날 오후 5시부터 오후 7시까지의 시간 구하기
  ❸ 모두 몇 시간인지 구하기

2-2 시현이네 가족은 기차 여행을 다녀왔습니다. 오전 11시에 집에서 출발해서 다음 날 오후 2시에 집에 돌아왔다면 시현이네 가족이 여행을 한 시간은 모두 몇 시간인지 구해 보세요.

(   )

2-3 찬빈이는 오후 9시부터 잠자리에 들었습니다. 다음 날 늦잠을 자서 오전 10시에 일어났습니다. 찬빈이가 잠자리에 있는 동안 시계의 긴바늘은 시계를 몇 바퀴 돌았는지 구해 보세요.

(   )

1 다음과 같이 낮 I2시가 될 때까지 시곗바늘이 작동하도록 만들고 오늘 오후 7시에 시
작하기 버튼을 클릭했습니다. 시계의 긴바늘은 몇 바퀴를 도는지 구해 보세요.

코딩

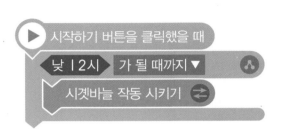

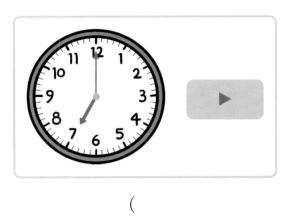

(   )

2 유통 기한은 상품을 팔 수 있는 마지막 시각을 뜻하는 말입니다. 다음 음식에 쓰여 있는
제조 시각과 유통 기한을 보고 제조 시각부터 음식을 팔 수 있는 시간은 몇 시간 동안인
지 구해 보세요.

창의 · 융합

(1)

(   )

(2)

(   )

▶ 정답 및 해설 22쪽

3
추론

디지털시계가 오전 7시 10분을 가리키고 있습니다. 같은 날 오후 7시까지 시와 분을 나타내는 수가 같은 경우는 모두 몇 번 있는지 구해 보세요.

8시 8분처럼 시와 분을 나타내는 수가 같은 경우는 몇 번인지 구해 보세요.

(   )

4
문제 해결

4월 3일부터 5월 15일까지 범퍼카를 운영하기로 했습니다. 범퍼카를 운영하는 기간은 며칠 동안인지 구해 보세요.

(   )

5
문제 해결

밤송이 축제를 20일 동안 한다고 합니다. 축제를 시작하는 날이 10월 2일일 때 끝나는 날은 10월 며칠일까요?

(   )

① 표에서 빈 곳 채우기

- 합계 구하기

  예 좋아하는 운동별 학생 수

  모든 항목의 수를 더한 값

운동	축구	야구	농구	합계
학생 수(명)	8	5	6	

  합계: $8+5+6=19$(명)

- 합계를 이용하여 항목의 수 구하기

  예 좋아하는 운동별 학생 수

  합계에서 다른 항목의 수를 뺀 값

운동	축구	야구	농구	합계
학생 수(명)	4		9	20

  야구를 좋아하는 학생 수:

  $20-4-9=7$(명)

활동 문제 표가 찢어졌습니다. 찢어진 곳에 알맞은 수를 써넣어 보세요.

❶ 좋아하는 과일별 학생 수

과일	🍒	🍍	🍓	🍊	합계
학생 수(명)	6	10	4	3	

❷ 가지고 있는 학용품별 수

학용품	✏️	🧽	✂️	🖍️	합계
수(개)	8		4	12	31

❸ 좋아하는 동물별 학생 수

동물	🐶	🐱	🐹	🐰	합계
학생 수(명)	12	6	4		27

❷ 표와 그래프에서 빈 곳 채우기

예

배우고 싶은 운동별 학생 수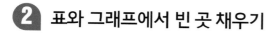

그래프를 보고 ④ 써넣기

운동	학생 수(명)
수영	2
태권도	④
합기도	1
줄넘기	3
합계	10

합계: 2+4+1+3=10(명)

학생 수(명)	수영	태권도	합기도	줄넘기
5				
4		○		
3		○		○
2	○	○		○
1	○	○	○	○

표를 보고 ○ 1개 그리기

3주
5일

활동 문제 표와 그래프를 보고 얼룩진 부분에 알맞게 채워 표와 그래프를 완성해 보세요.

❶ 먹고 싶은 음식별 학생 수

음식	학생 수(명)
(김밥)	4
(만두)	5
(국수)	2
(국)	
합계	

학생 수(명)	(김밥)	(만두)	(국수)	(국)
5		○		
4	○	○		○
3	○	○		○
2	○	○		○
1	○	○		○

❷ 받고 싶은 선물별 학생 수

선물	학생 수(명)
(책)	1
(인형)	3
(자전거)	
(공)	2
합계	

학생 수(명)	(책)	(인형)	(자전거)	(공)
5			○	
4			○	
3			○	
2			○	○
1			○	○

1-1 서아네 반 학생들이 좋아하는 계절을 조사하여 나타낸 표입니다. 빈칸에 알맞은 수는 얼마인지 구해 보세요.

계절별 좋아하는 학생 수

계절	봄	여름	가을	겨울	합계
학생 수(명)	5	7	6		23

(   )

봄, 여름, 가을, 겨울을 좋아하는 학생 수를 모두 더하면 합계에 있는 수인 **23**명이 됩니다.
따라서 **23**명에서 봄, 여름, 가을을 좋아하는 학생 수의 합을 뺍니다.

1-2 표를 보고 노란색을 좋아하는 학생은 몇 명인지 구해 보세요.

색깔별 좋아하는 학생 수

색깔	파란색	노란색	초록색	빨간색	분홍색	합계
학생 수(명)	4		6	3	6	25

파랑, 초록, 빨강, 분홍을 좋아하는 학생 수의 합 ➡ 4+□+□+□=□(명)

합계에서 위의 값을 빼면 25−□=□(명)이므로

노란색을 좋아하는 학생 수는 □명입니다.

1-3 어느 해 **11**월의 날씨별 날수입니다. 비 온 날(☂)은 며칠이었는지 구해 보세요.

11월의 날씨별 날수

날씨	맑은 날 ☀	흐린 날 ☁	비 온 날 ☂	눈 온 날 ☃	합계
날수(일)	11	15		1	

(1) 합계는 며칠인지 빈칸에 써넣어 보세요.

(2) 비 온 날은 며칠인가요?

(   )

2-1 현우네 반 학생들이 관찰하고 싶은 곤충을 조사하여 나타낸 표입니다. 무당벌레를 관찰하고 싶은 학생은 잠자리를 관찰하고 싶은 학생보다 3명 더 많을 때 합계를 구해 보세요.

관찰하고 싶은 곤충별 학생 수

곤충	무당벌레	잠자리	개미	벌	메뚜기	합계
학생 수(명)		4	2	3	3	

(   )

3주
5일

• 구하려는 것: 합계   • 주어진 조건: 잠자리, 개미, 벌, 메뚜기를 관찰하고 싶은 학생 수, 무당벌레를 관찰하고 싶은 학생은 잠자리를 관찰하고 싶은 학생보다 3명 더 많음
• 해결 전략: ❶ 무당벌레를 관찰하고 싶은 학생 수 구하기 ❷ 합계 구하기

2-2 주호네 반 학생들이 지난주에 읽은 책의 수를 조사하여 나타낸 표입니다. ||권보다 많이 읽은 학생 수가 3권보다 적게 읽은 학생 수보다 2명 더 많을 때 합계를 구해 보세요.

지난주에 읽은 책의 수별 학생 수

읽은 책의 수	3권보다 적게 읽음	3권~5권	6권~8권	9권~||권	||권보다 많이 읽음	합계
학생 수(명)	?	3	6	4	3	?

(   )

2-3 오른쪽은 가고 싶은 박물관을 조사하여 나타낸 표입니다. 교통 박물관에 가고 싶은 학생이 민속 박물관에 가고 싶은 학생보다 |명 더 많을 때 교통 박물관에 가고 싶은 학생은 몇 명인지 구해 보세요.

가고 싶은 박물관별 학생 수

박물관	학생 수(명)
교통 박물관	?
과학 박물관	6
민속 박물관	?
도자기 박물관	7
합계	20

(   )

1 주사위 2개를 동시에 던졌을 때 나온 눈의 수의 합을 조사하여 표와 그래프로 나타낸 것입니다. 빈 곳을 알맞게 채워 보세요.

창의·융합

눈의 수의 합별 나온 횟수

눈의 수의 합	2	3	4	5	6	7	8	9	10	11	12	합계
나온 횟수(회)	1	1		2	3	3		2	2	1		21

↓

4											
3						○	○				
2			○	○		○	○		○		
1		○	○	○		○	○		○	○	○
나온 횟수(회) \\ 눈의 수의 합	2	3	4		6	7	8	9	10	11	12

2 현서가 1월 15일까지 외운 한자의 수는 3개이고, 1월 16일까지 외운 한자의 수는 5개입니다. 매일 한자를 2개씩 더 외울 때 그래프의 빈 곳을 알맞게 채워 보세요.

추론

현서가 해당 날짜까지 외운 한자의 수

1월 15일	○	○	○								
1월 16일	○	○	○	○	○						
1월 17일	○	○	○	○	○						
1월 18일	○	○	○	○							
1월 19일	○	○	○	○	○	○	○	○	○	○	○
날짜 \\ 외운 한자의 수 전체	1	2	3	4	5	6	7	8	9	10	11

3
문제 해결

오른쪽은 윤하가 산 젤리의 포장지입니다. 젤리의 맛은 6가지이고 색깔에 따라 맛이 다릅니다. 그래프의 빈 곳을 채워 보세요.

> 다양한 맛의
> 곰 모양 젤리가
> 16개 들어 있어요.

3주
5일

젤리의 맛별로 들어 있는 수

젤리 수 (개) \ 맛	🐻	🐻	🐻	🐻	🐻	🐻
5				○		
4			○	○		
3			○	○		
2		○	○	○		
1	○	○	○	○		○

4
창의 · 융합

민서네 반 학생들이 먹고 싶은 과자를 조사하여 나타낸 표입니다. 옥수수 과자를 먹고 싶은 학생 수가 감자 과자를 먹고 싶은 학생 수의 2배일 때 물음에 답하세요.

먹고 싶은 과자별 학생 수

과자	옥수수 과자	초콜릿칩 과자	고구마 과자	감자 과자	합계
학생 수(명)	?	3	4	2	?

(1) 옥수수 과자를 먹고 싶은 학생은 몇 명일까요?

(　　　　　　)

(2) 조사한 학생 수는 모두 몇 명일까요?

(　　　　　　)

1 낙하산을 타고 내려오고 있습니다. 나타내는 시간이 같은 곳에 떨어지도록 이어 보세요.

문제 해결

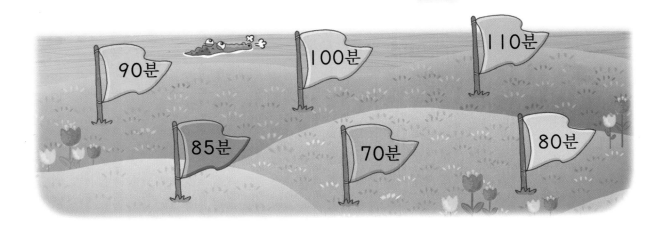

2 개구리가 연못을 건너려면 옳은 내용이 적힌 연잎을 모두 밟아야 합니다. 밟아야 하는 연잎을 모두 찾아 ○표 하세요. 문제 해결

3 밑줄 친 부분이 시각을 나타내면 '시각', 시간을 나타내면 '시간'이라고 ☐ 안에 알맞게 써 넣으세요. 창의·융합

수정이는 마트에서 1시간 20분 동안 있었습니다.

☐

5시 50분에 공원에 가서 줄넘기를 20분 동안 했습니다.

☐ 　　　　　　　　　☐

4 다음과 같이 생각했을 때 시계가 나타내는 시각을 나타내어 보세요. 코딩

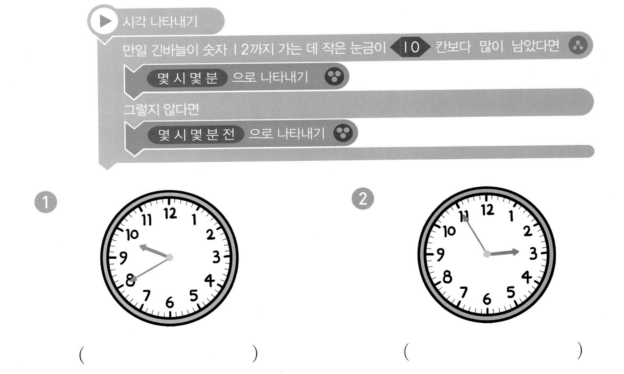

> 시각 나타내기
>
> 만일 긴바늘이 숫자 12까지 가는 데 작은 눈금이 ◆10◆ 칸보다 많이 남았다면
>
> > 몇 시 몇 분 으로 나타내기
>
> 그렇지 않다면
>
> > 몇 시 몇 분 전 으로 나타내기

❶ 　　　　　　　　　　❷

(　　　　　　　　) 　　(　　　　　　　　)

5 다음에 맞게 달을 분류하여 쓰세요. 코딩

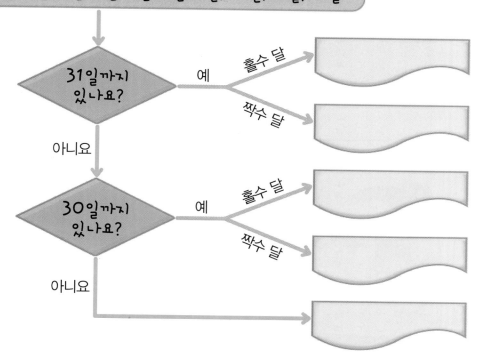

1월, 2월, 3월, 4월, 5월, 6월, 7월, 8월, 9월, 10월, 11월, 12월

31일까지 있나요?

예 — 홀수 달

짝수 달

아니요

30일까지 있나요?

예 — 홀수 달

짝수 달

아니요

6 12월의 날짜를 다음 보기 와 같이 네 자리 수로 나타내려고 합니다. 네 자리 수의 각 자리의 숫자가 서로 다르게 되는 날짜를 모두 찾아 ○표 하세요. 문제 해결

보기

12월 3일 ➡ 1203　　　12월 15일 ➡ 1215

12월

일	월	화	수	목	금	토
				1	2	3
4	5	6	7	8	9	10
11	12	13	14	15	16	17
18	19	20	21	22	23	24
25	26	27	28	29	30	31

7 다음은 일주일 동안 주현이가 한 착한 일을 정리하여 표로 나타낸 것입니다. 물음에 답하세요. 창의·융합

착한 일을 한 횟수

착한 일	심부름하기	화분에 물 주기	식탁에 수저 놓기	방 정리하기	합계
횟수(번)	3	8	5	4	20

1 위의 표를 보고 ○를 이용하여 그래프로 나타내어 보세요.

착한 일을 한 횟수

10				
9				
8				
7				
6				
5				
4				
3				
2				
1				
횟수(번) 착한 일	심부름 하기	화분에 물 주기	식탁에 수저 놓기	방 정리하기

2 주현이가 일주일 동안 가장 많이 한 착한 일은 무엇일까요?

(   )

8 보기 와 같이 주어진 수 카드를 한 번씩 모두 사용하여 날짜를 표시하려고 합니다. 표시할 수 있는 날짜는 모두 몇 가지인지 구해 보세요. 추론

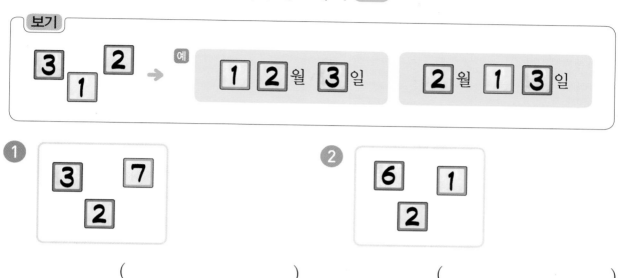

① ( )   ② ( )

9 예준이네 가족은 지난주 토요일에 ○○ 뮤지컬 공연을 관람했습니다. 신문에 실린 뮤지컬 공연 안내와 달력을 보고 물음에 답하세요. 문제 해결

10월

일	월	화	수	목	금	토
		1	2	3	4	5
6	7	8	9	10	11	12
13	14	15	16	17	18	19
20	21	22	23	24	25	26
27	28	29	30	31		

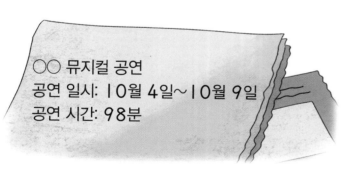

○○ 뮤지컬 공연
공연 일시: 10월 4일~10월 9일
공연 시간: 98분

① 예준이네 가족이 ○○ 뮤지컬 공연을 본 날짜는 10월 며칠인가요?

( )

② 공연 시간은 몇 시간 몇 분인가요?

( )

누구나 100점 TEST

1 다음 시계가 나타내는 시각은 현재 시각보다 110분 느립니다. 현재 시각을 구해 보세요.

(   )

2 다음은 거울에 비친 시계의 모습입니다. 한 시간 전에는 몇 시 몇 분이었는지 오른쪽 시계에 나타내어 보세요.

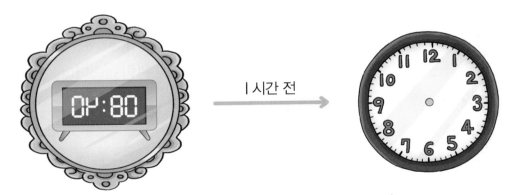

3 유준이가 가지고 있는 지폐의 수를 세어 나타낸 표입니다. 천 원짜리 지폐가 오만 원짜리 지폐보다 4장 더 많을 때 유준이가 가지고 있는 지폐의 수는 모두 몇 장인지 구해 보세요.

지폐별 가지고 있는 장수

지폐의 종류	천 원짜리 지폐	오천 원짜리 지폐	만 원짜리 지폐	오만 원짜리 지폐	합계
지폐의 수(장)	?	2	4	1	?

(   )

4 수아는 수요일마다 태권도장에 갑니다. 달력에 음료수를 쏟아서 달력이 일부분만 보일 때 10월 한 달 동안 수아가 태권도장에 가는 날짜를 모두 구해 보세요.

3주 테스트

5 유통 기한은 상품을 팔 수 있는 마지막 시각을 뜻하는 말입니다. 다음 음식에 쓰여 있는 제조 시각과 유통 기한을 보고 제조 시각부터 음식을 팔 수 있는 시간은 몇 시간 동안인지 구해 보세요.

( )

6 일력은 그날의 날짜와 요일이 한 장에 쓰여 있어 하루에 한 장씩 떼어 사용하는 달력입니다. 물음에 답하세요.

왼쪽 일력에서 15장을 앞에서부터 차례로 떼었다면 몇 월 며칠이 될까요?

( )

뭐 하고 있어?

며칠 뒤 엄마 생신에 선물할 목걸이를 만들고 있었어.

빨간색, 파란색 구슬을 섞어서 예쁜 목걸이를 만들 거야.

목걸이가 너무 예쁘다.

이 목걸이는 규칙을 이용해서 만들었어.

어떤 규칙이 있는데?

빨간색 구슬의 수가 하나씩 커지는 규칙이야. 계속해서 구슬을 끼우면?

다음에는 파란색 구슬 1개, 빨간색 구슬 6개를 끼워야 해.

맞았어.

• 쌓기나무를 쌓은 규칙 찾기

| 확인 문제 |

1-1 의자 번호는 오른쪽으로 갈수록 몇씩 커지는지 구해 보세요.

오른쪽으로 갈수록 ☐ 씩 커집니다.

| 한번 더 |

1-2 의자 번호는 아래쪽으로 갈수록 몇씩 커지는지 구해 보세요.

아래쪽으로 ☐ 씩 커집니다.

2-1 규칙에 따라 쌓기나무를 쌓은 것입니다. 알맞은 수에 ○표 하세요.

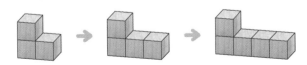

(1) 쌓기나무가 (1 , 2 , 3)개씩 늘어나는 규칙입니다.

(2) 다음에 이어질 모양에 쌓을 쌓기나무는 (5 , 6 , 7 , 8)개입니다.

2-2 규칙에 따라 쌓기나무를 쌓은 것입니다. 알맞은 수에 ○표 하세요.

(1) 쌓기나무가 (1 , 2 , 3)개씩 늘어나는 규칙입니다.

(2) 다음에 이어질 모양에 쌓을 쌓기나무는 (5 , 6 , 7 , 8)개입니다.

• 모양에서 규칙 찾기

3-1 규칙에 맞게 세모 안에 ●을 그려 보세요.

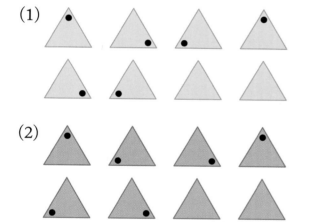

3-2 규칙에 맞게 네모 안에 ●을 그려 보세요.

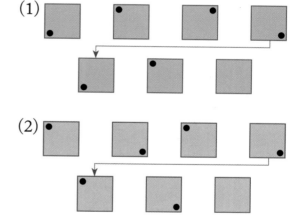

4-1 규칙을 찾아 빈칸에 알맞은 모양을 그려 보세요.

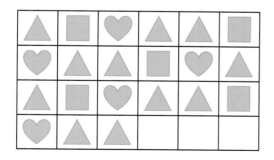

4-2 규칙을 찾아 빈칸에 알맞은 모양을 그리고 색칠해 보세요.

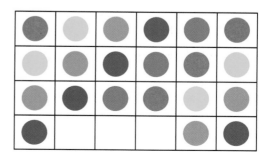

1 표를 완성하고 점수 구하기

예

① 맞힌 화살의 위치를 나타낸 과녁을 보고 표 완성하기

점수별 맞힌 화살 수

점수	5점	3점	2점	합계
맞힌 화살 수(개)	3	2	3	8

② 점수 구하기

5점이 3개 ➡ $5 \times 3 = 15$(점) ⎤
3점이 2개 ➡ $3 \times 2 = 6$(점) ⎬ ➡ $15 + 6 + 6 = 27$(점)
2점이 3개 ➡ $2 \times 3 = 6$(점) ⎦

활동 문제 과녁에 맞힌 화살을 표시한 것입니다. 얻은 점수는 몇 점인지 구해 보세요.

❶

❷

점수별 맞힌 화살 수

점수	5점	3점	1점	합계
맞힌 화살 수(개)				

점수: ☐ 점

점수별 맞힌 화살 수

점수	5점	2점	1점	합계
맞힌 화살 수(개)				

점수: ☐ 점

2 그래프로 나타내기

예

● : 지안
● : 시우
● : 예준

① 맞힌 화살의 위치를 보고 점수 구하기

점수		3점	2점	1점	점수(점)
맞힌 화살 수 (개)	지안	1	1	1	6 ← 3+2+1=6
	시우	1	0	2	5 ← 3+0+2=5
	예준	2	0	1	7 ← 6+0+1=7

→

② 학생별 점수를 그래프로 나타내기

예준이의 점수가 가장 높습니다.

학생별 점수

7				○
6		○		○
5		○	○	○
4		○	○	○
3		○	○	○
2		○	○	○
1		○	○	○
점수(점) / 학생		지안	시우	예준

4주
1일

활동 문제 과녁에 맞힌 화살을 표시한 것입니다. 점수를 그래프로 나타내어 보세요.

❶

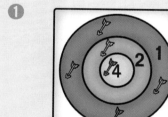

🏹 : 민서
🏹 : 주원
🏹 : 수아

학생별 점수

5			
4			
3			
2			
1			
점수(점) / 학생	민서	주원	수아

❷

🏹 : 지안
🏹 : 현우
🏹 : 예준

학생별 점수

5			
4			
3			
2			
1			
점수(점) / 학생	지안	현우	예준

1-1 현수와 미준이가 과녁에 화살 맞히기 놀이를 했습니다. 맞힌 화살의 위치를 보고 표를 완성하고 두 사람의 점수의 차는 몇 점인지 구해 보세요.

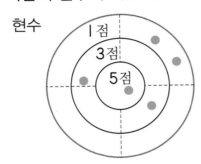

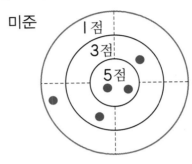

점수		5점	3점	1점	점수(점)
맞힌 화살 수 (개)	현수				
	미준				

(   )

❶ 과녁을 보고 점수에 따라 맞힌 화살 수를 표에 써넣습니다.
❷ 두 사람의 점수를 각각 구한 다음 점수의 차를 구합니다.

1-2 지호와 민서가 과녁에 화살 맞히기 놀이를 했습니다. 맞힌 화살의 위치를 보고 표를 완성하고 두 사람의 점수의 차는 몇 점인지 구해 보세요.

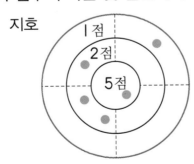

민서

점수		5점	2점	1점	점수(점)
맞힌 화살 수 (개)	지호				
	민서				

지호의 점수와 민서의 점수의

차는

☐ ─ ☐ = ☐ (점)입니다.

2-1 지우네 모둠 학생들이 퀴즈 10문제를 풀었습니다. 한 문제당 10점일 때 점수는 다음 표와 같았습니다. 표를 보고 맞힌 문제는 몇 문제인지 그래프로 나타내어 보세요.

학생별 점수

학생	점수(점)
지우	50
도윤	30
수아	60
현서	30
유정	40

학생별 맞힌 문제 수

맞힌 문제 수(개) / 학생	지우	도윤	수아	현서	유정
6					
5					
4					
3					
2					
1					

● 구하려는 것: 학생별 맞힌 문제 수를 나타내는 그래프
● 주어진 조건: 학생별 점수 표, 한 문제당 10점
● 해결 전략: 점수를 보고 학생별 맞힌 문제 수를 구한 후 맞힌 문제 수에 맞게 그래프로 나타냅니다.

2-2 영우네 모둠 학생들이 퀴즈 10문제를 풀었습니다. 한 문제당 10점일 때 맞힌 문제 수를 보고 점수는 몇 점인지 그래프로 나타내어 보세요.

학생별 맞힌 문제 수

학생	맞힌 문제 수(개)
영우	6
현아	4
상호	2
동일	3
다솜	5

학생별 점수

점수(점) / 학생	영우	현아	상호	동일	다솜
60					
50					
40					
30					
20					
10					

1 회전판을 돌렸을 때 화살표가 가리키는 색깔을 조사하여 나타낸 표입니다. 그래프를 그리고 알맞은 말에 ○표 하세요.

추론

색깔별 가리킨 횟수

색깔	보라	초록	빨강	합계
횟수(회)	5	3	2	10

색깔별 가리킨 횟수

색깔	보라	초록	빨강	합계
횟수(회)	2	5	3	10

6			
5			
4			
3			
2			
1			
횟수(회) \ 색깔	보라	초록	빨강

6			
5			
4			
3			
2			
1			
횟수(회) \ 색깔	보라	초록	빨강

회전판에서 넓게 색칠된 색깔일수록 가리킨 횟수가 (많습니다 , 적습니다).

2 세 사람이 과녁에 맞힌 화살을 보고, 점수를 그래프로 나타내어 보세요.

문제 해결

학생별 점수

5			
4			
3			
2			
1			
점수(점) \ 학생	진호	인숙	수정

3 시우네 모둠 친구들의 이름에 있는 낱자의 수를 세어 표를 완성한 후 낱자의 수별 학생 수를 그래프로 나타내어 보세요.

이름별 낱자의 수

이름	낱자의 수(개)
이지호	
김시우	7
한소미	
서유빈	
장도윤	
강서연	
김민준	

내 이름 '김시우'에 있는 낱자는 ㄱ, ㅣ, ㅁ, ㅅ, ㅣ, ㅇ, ㅜ로 모두 **7**개예요.

낱자의 수별 학생 수

학생 수(명) \ 낱자의 수(개)	6	7	8	9
4				
3				
2				
1				

4 현서네 반 학생들이 싫어하는 채소를 조사하여 나타낸 표입니다. 표를 완성한 후 그래프로 나타내어 보세요.

채소별 싫어하는 학생 수

채소	양파	당근	브로콜리	배추	무	파프리카	합계
남학생 수(명)	3	3	2	1	2	1	12
여학생 수(명)	1	2	1	4	1	3	12
학생 수(명)							24

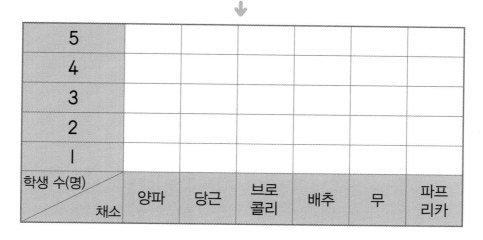

학생 수(명) \ 채소	양파	당근	브로콜리	배추	무	파프리카
5						
4						
3						
2						
1						

① 덧셈표에서 규칙 찾기

+	1	2	3	4	5
1	2	3	4	5	6
2	3	4	5	6	7
3	4	5	6	7	8
4	5	6	7	8	9
5	6	7	8	9	10

- ▨ 로 칠해진 수
  ➡ 아래쪽으로 내려갈수록 1씩 커집니다.
- ▨ 로 칠해진 수
  ➡ 오른쪽으로 갈수록 1씩 커집니다.
- ▨ 로 칠해진 수
  ➡ ＼ 방향으로 갈수록 2씩 커집니다.

활동 문제 덧셈표에서 규칙을 찾아 ☐ 안에 알맞은 수를 써넣고, 아래에 있는 덧셈표의 일부분에도 알맞은 수를 써넣으세요.

+	6	7	8	9	10
6	12	13	14	15	16
7	13	14	15	16	17
8	14	15	16	17	18
9	15	16	17	18	19
10	16	17	18	19	20

❶
오른쪽으로 갈수록 ☐씩 커집니다.

아래쪽으로 갈수록 ☐씩 커집니다.

❷

		16	17
15			
16			
	19		

❸

		13	
	14		16
	16		

② 곱셈표에서 규칙 찾기

×	1	2	3
1	1	2	3
2	2	4	6
3	3	6	9

오른쪽으로 갈수록 연두색으로 색칠된 세로줄에 쓰여 있는 수만큼 커집니다.

×	1	2	3
1	1	2	3
2	2	4	6
3	3	6	9

점선을 따라 접었을 때 만나는 수는 서로 같습니다.

×	1	2	3
1	1	2	3
2	2	4	6
3	3	6	9

아래쪽으로 갈수록 연두색으로 색칠된 가로줄에 쓰여 있는 수만큼 커집니다.

활동 문제 곱셈표에서 규칙을 찾아 ☐ 안에 알맞은 수를 써넣고, 아래에 있는 곱셈표의 일부분에도 알맞은 수를 써넣으세요.

4주 2일

①

×	1	2	3	4	5
1	1	2	3	4	5
2	2	4	6	8	10
3	3	6	9	12	15
4	4	8	12	16	20
5	5	10	15	20	25

▬으로 칠해진 수는 오른쪽으로 갈수록 ☐씩 커집니다.

▬으로 칠해진 수는 아래쪽으로 내려갈수록 ☐씩 커집니다.

②

	4	
6	8	
6	9	

③

2		
3	6	
		16
		20

1-1 덧셈표를 완성했을 때 ----에 놓인 수의 규칙을 써 보세요.

+	3	4	5	6	7
3	6	7	8	9	
4	7	8	9	10	
5	8				12
6	9				13
7	10	11	12	13	14

----에 놓인 수들은

↘ 방향으로 갈수록 □씩 커집니다.

• 덧셈표를 완성하고, ↘ 방향으로 갈수록 몇씩 커지는지 알아봅니다.

1-2 오른쪽 덧셈표를 완성했을 때 ----에 놓인 수의 규칙을 써 보세요.

----에 놓인 수들은

_____

+	4	5	6	7
4	8	9	10	
5	9		11	
6	10		12	
7	11		13	14

1-3 곱셈표를 완성했을 때 찾을 수 있는 규칙 두 가지를 알맞게 쓰세요.

×	2	3	4	5	6
2	4	6			12
3	6		12	15	18
4	8		16	20	24
5	10	15			
6			24	30	36

• ----에 놓인 수들은

_____

• ----에 놓인 수들은

_____

2-1 곱셈표를 보고 바르게 말한 사람을 찾아 이름을 써 보세요.

×	1	3	5	7	9
1	1	3	5	7	9
3	3	9	15	21	27
5	5	15	25	35	45
7	7	21	35	49	63
9	9	27	45	63	81

곱셈표에 있는 수들은 모두 짝수입니다.
예준

으로 칠해진 수들은 오른쪽으로 갈수록 10씩 커집니다.
지안

아래쪽으로 내려갈수록 4씩 커집니다.
시우

(   )

- 구하려는 것: 곱셈표에서 찾은 규칙을 바르게 말한 사람
- 주어진 조건: 곱셈표, 세 사람이 말한 규칙
- 해결 전략: 말한 내용이 곱셈표의 규칙이 맞는지 확인해 봅니다.

4주
2일

2-2 덧셈표에서 찾은 규칙을 보고 바르게 말한 사람을 찾아 이름을 써 보세요.

오른쪽으로 갈수록 수가 작아집니다.

지안

+	2	4	6	8	10
2	4	6	8	10	12
4	6	8	10	12	14
6	8	10	12	14	16
8	10	12	14	16	18
10	12	14	16	18	20

로 칠해진 수들은 ↘ 방향으로 갈수록 3씩 커집니다.

예준

아래쪽으로 내려갈수록 2씩 커집니다.

수아

로 칠해진 수들은 아래쪽으로 갈수록 4씩 커집니다.

시우

(   )

1 문제 해결 덧셈표를 완성하고 같은 수끼리 선으로 이어 보세요.

+	3	5	7	9
3				
5				
7				
9				

2 문제 해결 덧셈표의 일부입니다. 빈칸에 알맞은 수를 써넣으세요.

(1)

3	4		6	
			7	
6	7	8	9	

(2)

8			11
9	10		
			13
10			14

3 추론 곱셈표에서 규칙을 찾아 빈칸에 알맞은 수를 써넣으세요.

×	2	3	4	5
2	4	6	8	10
3	6	9	12	15
4	8	12	16	20
5	10	15	20	25

4 문제 해결

곱셈표를 완성하려고 합니다. 물음에 답하세요.

×	㉠	㉡	㉢	㉣
㉠	4		12	
㉡				
㉢				
㉣		32		64

(1) ㉠, ㉡, ㉢, ㉣에 알맞은 수를 각각 구해 보세요.

㉠×㉠은 4입니다. 따라서 ㉠은 ☐입니다.

㉠×㉢은 12입니다. 따라서 ㉢은 ☐입니다.

㉣×㉣은 64입니다. 따라서 ㉣은 ☐입니다.

㉣×㉡은 32입니다. 따라서 ㉡은 ☐입니다.

(2) 곱셈표의 빈칸에 알맞은 수를 각각 써넣으세요.

5 창의·융합

보기 와 같은 방법을 이용하여 가로 또는 세로의 세 수의 합이 각각 주어진 수와 같은 부분을 찾아 ➕ 모양으로 색칠해 보세요.

보기

• 가로와 세로의 세 수의 합이 각각 12

×	1	2	3	4	5
1	1	2	3	4	5
2	2	4	6	8	10
3	3	6	9	12	15
4	4	8	12	16	20

① 빨간색으로 칠한 수는 가로와 세로의 세 수의 합이 각각 12로 같고, 한가운데의 수는 4입니다.
　└─2+4+6=12

② 한가운데 수인 4의 3배는 가로 또는 세로의 세 수의 합과 같습니다.

➡ 4×3=12

(1) 가로와 세로의 세 수의 합이 각각 27

☐×3=27

×	1	2	3	4	5
1	1	2	3	4	5
2	2	4	6	8	10
3	3	6	9	12	15
4	4	8	12	16	20

(2) 가로와 세로의 세 수의 합이 각각 24

△×3=24

×	1	2	3	4	5
1	1	2	3	4	5
2	2	4	6	8	10
3	3	6	9	12	15
4	4	8	12	16	20

1 쌓기나무로 쌓은 모양에서 규칙 찾기

- 오른쪽으로 가면서 쌓은 규칙 찾기

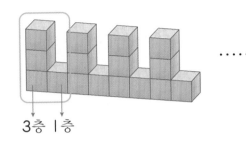

3층 1층

➡ 오른쪽으로 가면서 **3**층, **1**층이 반복되게 쌓았습니다.

- 아래로 내려가면서 쌓은 규칙 찾기

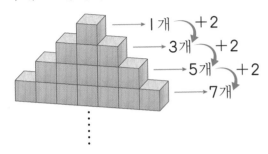

→ 1개 ⤵ +2
→ 3개 ⤵ +2
→ 5개 ⤵ +2
→ 7개

➡ 아래로 내려가면서 **2**개씩 늘어나는 규칙으로 쌓았습니다.

활동 문제 쌓기나무로 쌓은 모양을 보고 ☐ 안에 알맞은 수를 써넣으세요.

1 오른쪽으로 가면서 ☐층, ☐층이 반복되게 쌓았습니다.

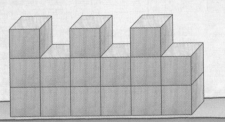

2 오른쪽으로 가면서 ☐층, ☐층이 반복되게 쌓았습니다.

3 아래로 내려가면서 ☐개씩 늘어나는 규칙으로 쌓았습니다.

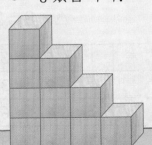

4 아래로 내려가면서 ☐개씩 늘어나는 규칙으로 쌓았습니다.

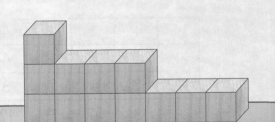

▶ 정답 및 해설 28쪽

2 다음에 쌓을 모양 찾기

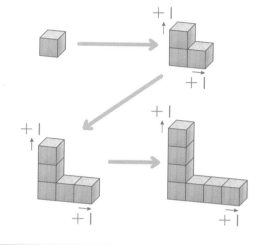

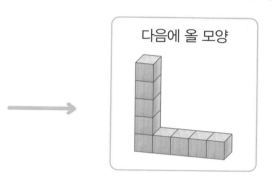

- 두 번째부터 'ㄴ' 모양으로 쌓았습니다.
- 쌓기나무가 **2**개씩 늘어나는 규칙입니다.

다음에 올 모양

4주
3일

활동 문제 다음에 올 모양은 쌓기나무를 몇 개 쌓아야 하는지 구해 보세요.

❶ 다음에 올 모양은 쌓기나무를 ☐ 개 쌓아야 합니다.

❷ 다음에 올 모양은 쌓기나무를 ☐ 개 쌓아야 합니다.

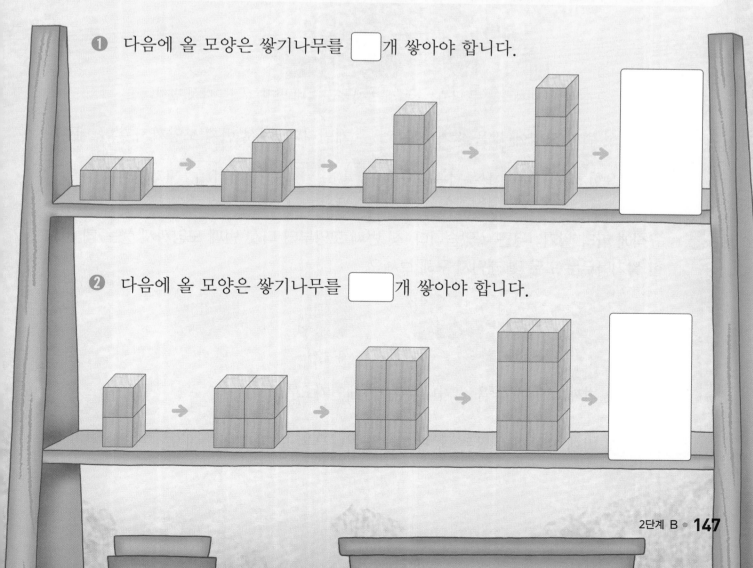

1-1 규칙에 따라 쌓기나무를 쌓았습니다. 첫 번째 모양부터 다섯 번째 모양까지 쌓는 데 필요한 쌓기나무는 모두 몇 개인지 구해 보세요.

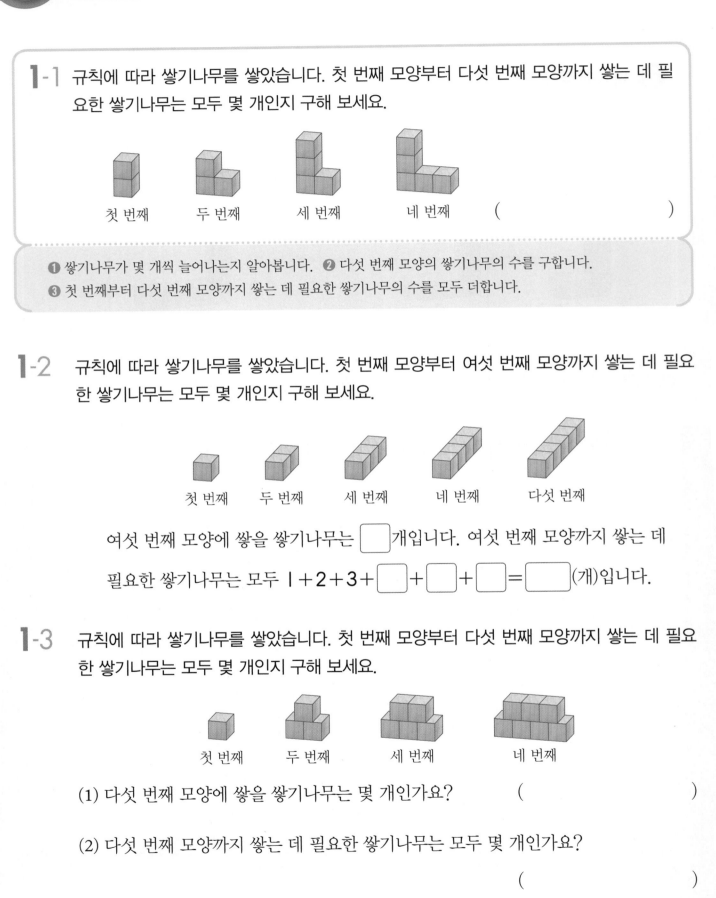

첫 번째   두 번째   세 번째   네 번째   (   )

❶ 쌓기나무가 몇 개씩 늘어나는지 알아봅니다. ❷ 다섯 번째 모양의 쌓기나무의 수를 구합니다.
❸ 첫 번째부터 다섯 번째 모양까지 쌓는 데 필요한 쌓기나무의 수를 모두 더합니다.

1-2 규칙에 따라 쌓기나무를 쌓았습니다. 첫 번째 모양부터 여섯 번째 모양까지 쌓는 데 필요한 쌓기나무는 모두 몇 개인지 구해 보세요.

첫 번째   두 번째   세 번째   네 번째   다섯 번째

여섯 번째 모양에 쌓을 쌓기나무는 ▢개입니다. 여섯 번째 모양까지 쌓는 데

필요한 쌓기나무는 모두 $1+2+3+$▢$+$▢$+$▢$=$▢(개)입니다.

1-3 규칙에 따라 쌓기나무를 쌓았습니다. 첫 번째 모양부터 다섯 번째 모양까지 쌓는 데 필요한 쌓기나무는 모두 몇 개인지 구해 보세요.

첫 번째   두 번째   세 번째   네 번째

(1) 다섯 번째 모양에 쌓을 쌓기나무는 몇 개인가요?   (   )

(2) 다섯 번째 모양까지 쌓는 데 필요한 쌓기나무는 모두 몇 개인가요?

(   )

2-1 다음과 같은 규칙으로 쌓기나무를 5층까지 쌓으려고 합니다. 필요한 쌓기나무는 모두 몇 개인지 구해 보세요.

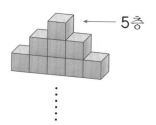

← 5층

- 가장 위층에는 쌓기나무 1개를 쌓습니다.
- 1층에 쌓기나무가 가장 많이 쌓여 있고 위로 갈수록 쌓기나무의 수가 줄어듭니다.

(   )

- 구하려는 것: 필요한 쌓기나무의 수
- 주어진 조건: 5층에 쌓기나무 1개, 4층에 쌓기나무 3개, 3층에 쌓기나무 5개
- 해결 전략: 규칙에 따라 1층과 2층에 쌓은 쌓기나무의 수를 구하고 필요한 쌓기나무 전체의 수를 구합니다.

2-2 다음과 같은 규칙으로 쌓기나무를 5층까지 쌓으려고 합니다. 필요한 쌓기나무는 모두 몇 개인지 구해 보세요.

(1)

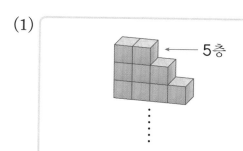

← 5층

- 가장 위층에는 쌓기나무 2개를 쌓습니다.
- 1층에 쌓기나무가 가장 많이 쌓여 있고 위로 갈수록 쌓기나무의 수가 줄어듭니다.

(   )

(2)

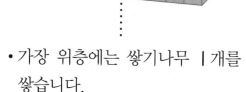

← 5층

- 가장 위층에는 쌓기나무 1개를 쌓습니다.
- 1층에 쌓기나무가 가장 많이 쌓여 있고 위로 갈수록 쌓기나무의 수가 줄어듭니다.

(   )

1 규칙에 따라 쌓기나무를 쌓았습니다. 일곱 번째 모양에 쌓을 쌓기나무는 몇 개인지 구해 보세요.

추론

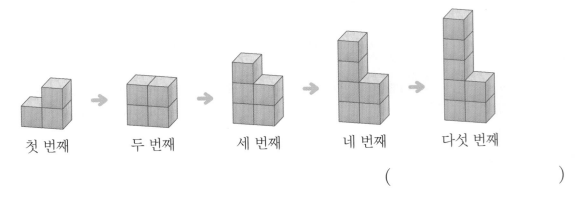

첫 번째   두 번째   세 번째   네 번째   다섯 번째

(   )

2 규칙에 따라 쌓기나무를 6층까지 쌓으려고 합니다. 빨간색 쌓기나무는 몇 개 필요한지 구해 보세요.

문제 해결

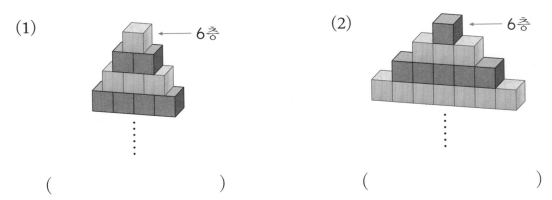

(1)   ← 6층

(2)   ← 6층

(   )   (   )

3 다음과 같은 모형을 왼쪽에서부터 끼웠습니다. 마지막 모형 위에 모형 2개를 더 끼울 때 어떤 색깔 모형을 어떻게 끼워야 하는지 ☐ 안에 그려 보세요.

창의 · 융합

← 마지막 모형

4
추론

다음 순서에 따라 상자를 쌓았을 때 쌓은 상자는 모두 몇 개가 되는지 구해 보세요.

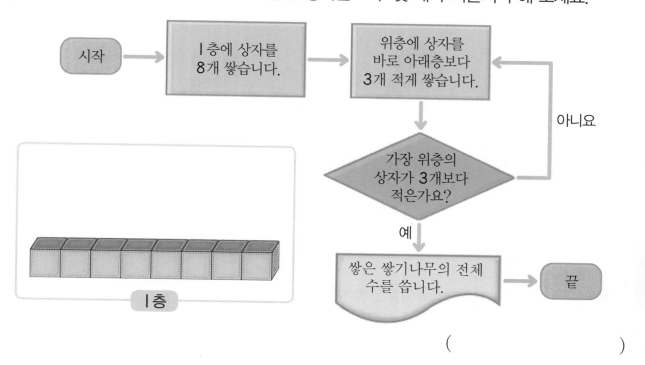

(   )

4주
3일

5
문제 해결

다음과 같은 규칙으로 쌓기나무를 놓았습니다. 여섯 번째 모양을 만드는 데 필요한 쌓기나무는 색깔별로 몇 개인지 구해 보세요.

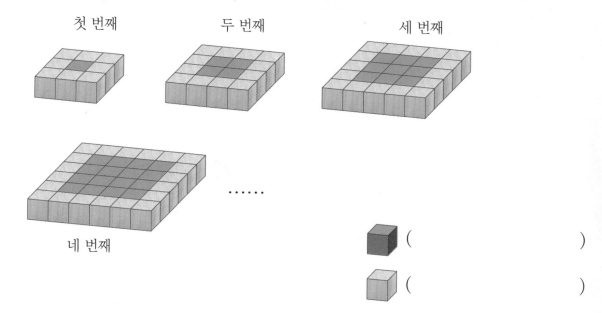

첫 번째   두 번째   세 번째

네 번째   ······

(   )

(   )

1 반복되는 규칙 찾기

예

- 고양이, 고양이, 강아지가 반복되는 규칙으로 늘어놓았습니다.

- 반복되는 부분은 　 , 　 , 　 입니다.   다음에 올 동물 ➡ 　

활동 문제 반복되는 규칙을 이용하여 오른쪽 끝에 연결할 수 있는 것을 찾아 이어 보세요.

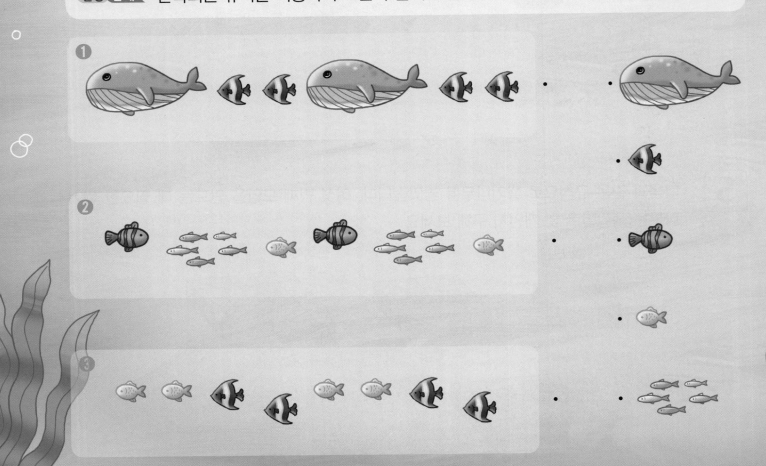

2 회전하는 규칙 찾기

예

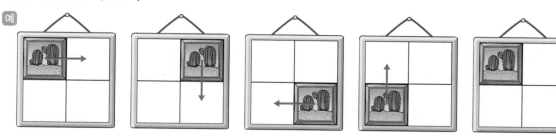

- 선인장 그림이 시계 방향으로 한 칸씩 옮겨지는 규칙입니다.
- 다음에 올 모양은 두 번째와 같은 모양입니다.

다음에 올 모양 →

4주
4일

활동 문제 그물에 불가사리가 걸렸습니다. 불가사리의 위치에서 규칙을 찾아 마지막 그물의 불가사리가 있을 곳에 ○표 하세요.

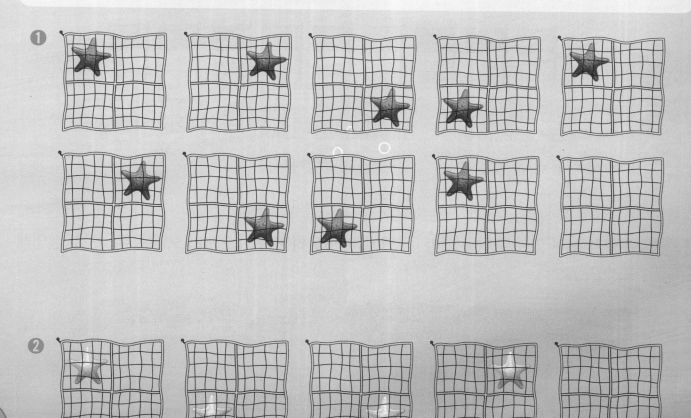

1-1 다음과 같이 깃발을 꽂았습니다. 규칙을 찾아 오른쪽 마지막 깃발의 다음에 꽂을 깃발은 무슨 색깔인지 구해 보세요.

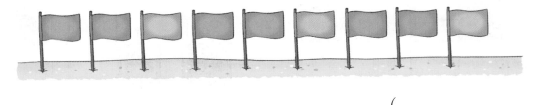

(   )

❶ 반복되는 부분을 찾아봅니다.
❷ 규칙에 따라 다음에 꽂을 깃발의 색깔이 무엇인지 알아봅니다.

1-2 깃발을 반복되는 규칙에 따라 꽂으려고 합니다. 오른쪽 마지막 깃발의 다음에 꽂을 깃발은 무슨 색깔인지 구해 보세요.

초록색, ☐ , ☐ , ☐ 깃발이 반복되는 규칙입니다.

따라서 다음에 올 깃발은 ☐ 깃발입니다.

1-3 쿠키가 놓여 있는 규칙을 찾아 ☐ 안에 놓아야 하는 쿠키 2개의 모양은 무엇인지 설명해 보세요.

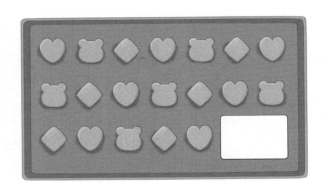

쿠키는 하트 모양, 곰 모양, _____

_____

☐ 안에는 _____

_____

2-1 펭귄이 얼음집 주위에서 움직이고 있습니다. 움직이는 규칙을 찾아 일곱 번째에 펭귄이 있을 칸에 ◯표 하세요.

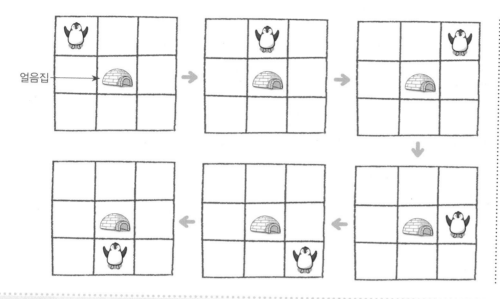

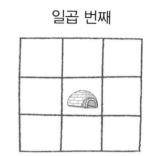

일곱 번째

- 구하려는 것: 일곱 번째에 펭귄이 있을 칸
- 주어진 조건: 펭귄이 움직이는 규칙
- 해결 전략: 펭귄이 움직이는 규칙을 찾아 여섯 번째 다음에 펭귄이 있는 칸을 찾습니다.

2-2 햄스터가 감 주위에서 움직이고 있습니다. 움직이는 규칙을 찾아 일곱 번째에 햄스터가 있을 칸에 ◯표 하세요.

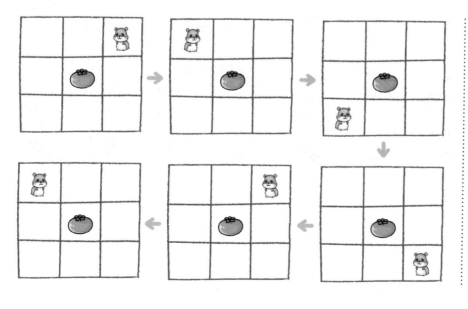

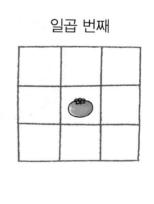

일곱 번째

1 쿠키가 놓여 있는 규칙을 찾아 일곱 번째에 쿠키가 놓여 있을 칸에 ○표 하세요.

추론

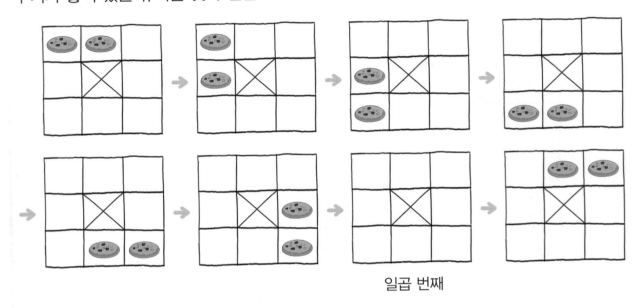

일곱 번째

2 바늘이 회전하는 규칙을 찾아 마지막 시계에 바늘을 알맞게 그려 넣으세요.

문제 해결

3 규칙을 찾아 마지막 그림에 바르게 색칠해 보세요.

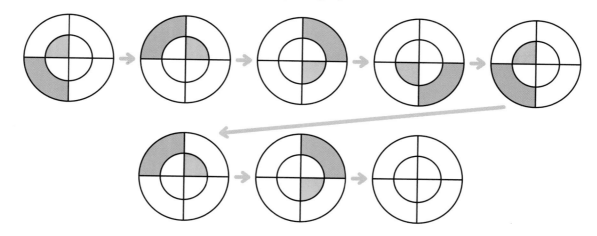

4 시작하기 버튼을 클릭하고 1번 반복하기를 하면 오른쪽과 같습니다. 1번 반복하기를 10번 반복하기로 바꿨을 때의 모양을 찾아 기호를 써 보세요.

(   )

1 수가 늘어나는 규칙 찾기

예

- 별의 수가 2개, 3개, 4개로 1개씩 늘어나는 규칙입니다.

예

- 꽃잎과 하트가 반복되는 규칙입니다.
  하트의 수가 1개씩 늘어나는 규칙입니다.

활동 문제 *실패가 놓여 있는 규칙을 찾아 ☐ 안에 놓을 수 있는 것 1개를 찾아 이어 보세요.

*실패: 실을 감아 두는 도구

❶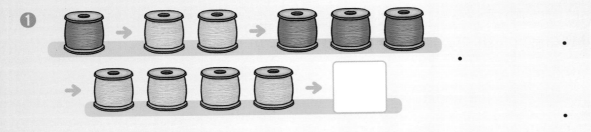

❷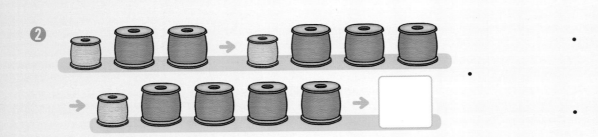

❸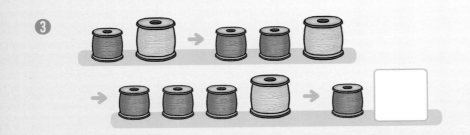

② 이중 규칙 찾기

예

- **모양** ➡ 꽃잎, 별, 하트가 반복되는 규칙입니다.
- **색깔** ➡ 보라색, 연두색이 반복되는 규칙입니다.

예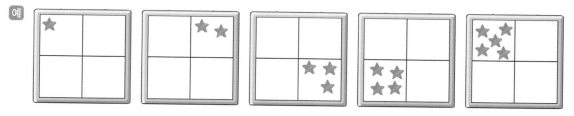

- **위치** ➡ 별이 있는 칸이 시계 방향으로 한 칸씩 옮겨지는 규칙입니다.
- **개수** ➡ 별의 수는 1개씩 늘어나는 규칙입니다.

4주
5일

활동 문제   실패가 놓여 있는 규칙을 찾아 다음에 놓아야 하는 것에 ◯표 하세요.

❶

❷

❸

1-1 우유가 놓여 있는 규칙에 따라 ?가 있는 곳에 알맞은 것은 무엇인지 구해 보세요.

바나나 맛　딸기 맛　초콜릿 맛

?에 알맞은 것은 (바나나 맛 , 딸기 맛 , 초콜릿 맛), (큰 우유 , 작은 우유)입니다.

● 우유의 맛과 우유의 크기가 어떤 규칙으로 놓여 있는지 알아봅니다.

1-2 우유가 놓여 있는 규칙에 따라 ?에 알맞은 것은 무엇인지 구해 보세요.

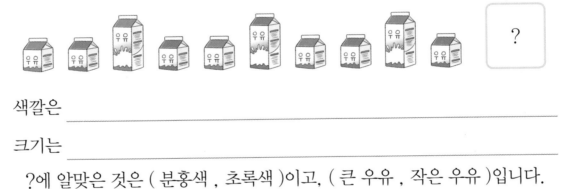

색깔은 _____

크기는 _____

?에 알맞은 것은 (분홍색 , 초록색)이고, (큰 우유 , 작은 우유)입니다.

1-3 규칙에 따라 전구를 달고 불을 켰습니다. ?에 알맞은 것은 무엇인지 구해 보세요.

켜진 전구 →
꺼진 전구 →

불이 켜진 전구와 꺼진 전구가 반복됩니다.

크기는 _____

?에 알맞은 것은 _____

2-1 다음과 같은 규칙으로 무늬를 꾸몄습니다. ⬡ 안에 ★과 ◯이 모두 5개 들어갈 때 각각 몇 개씩 들어가는지 구해 보세요.

★ (   ), ◯ (   )

- 구하려는 것: ⬡ 안에 들어가는 ★과 ◯의 수
- 주어진 조건: 규칙에 맞게 놓여 있는 ★과 ◯, ⬡ 안의 모양은 5개
- 해결 전략: 어떤 규칙으로 놓여 있는지 찾습니다. ➡ ★은 수가 늘어나지 않지만 ◯은 수가 늘어납니다.

2-2 다음과 같은 규칙으로 무늬를 꾸몄습니다. ⬡ 안에 ✿과 ●이 모두 5개 들어갈 때 각각 몇 개씩 들어가는지 구해 보세요.

✿ (   ), ● (   )

2-3 오른쪽과 같은 규칙으로 과일을 놓았습니다. ⬡ 안에 과일이 모두 3개 들어갈 때 어떤 과일을 몇 개 놓아야 하는지 구해 보세요.

(   )

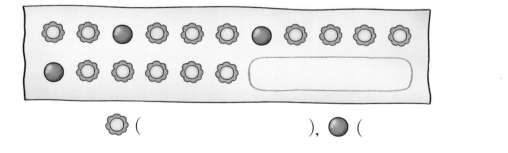

1 꽃잎이 붙어 있는 규칙을 찾아 두 번째 그림에 꽃잎을 알맞게 그려 넣으세요.

추론

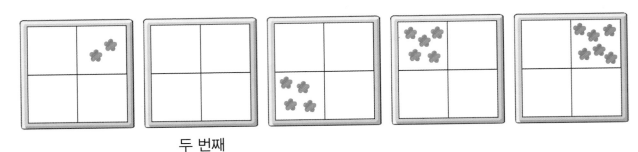

두 번째

2 규칙에 따라 ?에 알맞은 옷을 아래에서 골라 ○표 하세요.

추론

(1)

(2)

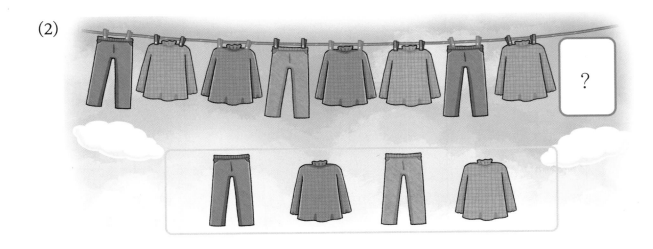

3 규칙을 찾아 빈 곳에 알맞은 수를 그리고 색칠해 보세요.

문제 해결

(1) 1 [ ] 5 7 9 11 13 15 17

(2) 2 5 8 11 [ ] 17 20 23 26

4 창문을 보고 불이 켜진 규칙을 찾아 ⬭ 안에서 불을 꺼야 하는 창문에 검은색으로 색칠해 보세요.

창의·융합

맨 위층에서부터 오른쪽 방향으로 가면서 규칙을 찾아보세요.

1 손오공이 징검다리를 건너려고 합니다. 대화를 보고 어느 징검다리를 건너서 탈출해야 하는지 선을 그어 보세요. 문제해결

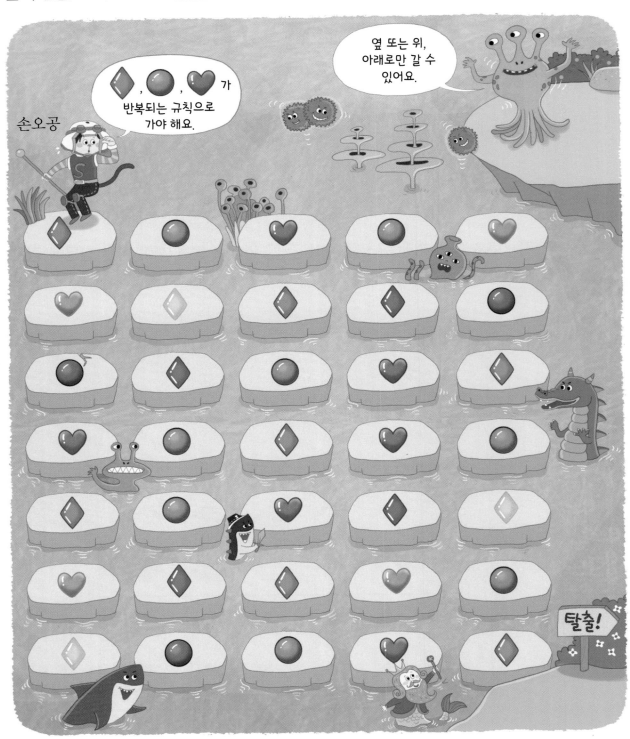

2 종이에 적힌 수의 규칙을 찾아 길을 따라 내려간 곳에 다음에 올 수를 2개씩 써넣으세요.

3 다음을 읽고 물음에 답하세요. [창의·융합]

*호부호형: 아버지를 아버지라 부르고 형을 형이라 부름.
*탐관오리: 백성의 재물을 탐내어 빼앗는 나쁜 관리

> 길동은 매우 뛰어난 아이였지만 노비 신분인 하녀가 낳은 아이라 감히 *호부호형도 하지 못하고 자랐습니다. 길동은 이러한 사실에 슬퍼하며 결국 집을 떠났습니다.
> 집을 떠난 길동은 도적들의 우두머리가 되어 의적이 되기로 결심하였고, *탐관오리들이 정당하지 못하게 얻은 재물을 훔쳤습니다. 길동은 탐관오리에게 훔친 재물을 백성들에게 나누어 주었습니다. 그리하여 백성들은 홍길동을 좋아하고 존경하였습니다.

❶ 길동이 어느 탐관오리에게서 훔친 재물을 조사하여 나타낸 표입니다. 탐관오리에게서 훔친 재물의 종류는 모두 몇 가지인가요?

훔친 재물별 개수

훔친 재물	도자기	장신구	곡식	비단	합계
개수(개)	3	4	6	5	18

(　　　　　　　　)

❷ 위 ❶의 표를 보고 ○를 이용하여 그래프로 나타내어 보세요.

훔친 재물별 개수

7				
6				
5				
4				
3				
2				
1				
개수(개) 훔친 재물	도자기	장신구	곡식	비단

4 빵 가게에 있는 빵 중에서 유현이네 반 학생들이 좋아하는 빵을 조사하여 나타낸 그래프입니다. 그래프를 보고 물음에 답하세요. 창의·융합

빵별 좋아하는 학생 수

학생 수(명) \ 빵	치즈빵	크림빵	단팥빵	피자빵	소시지빵
6		○			
5		○			
4		○			
3	○	○		○	
2	○	○	○	○	○
1	○	○	○	○	○

① 조사한 학생은 모두 몇 명인가요?

(   )

② 그래프를 보고 이야기한 것입니다. 바르게 말한 학생은 누구인지 이름을 써 보세요.

예준: 크림빵을 좋아하는 학생이 가장 많습니다.

수아: 빵 가게에 있는 빵 중에서 단팥빵이 가장 큽니다.

시우: 치즈빵을 좋아하는 학생은 소시지빵을 좋아하는 학생보다 적습니다.

지안: 어른들이 가장 좋아하는 빵은 피자빵입니다.

(   )

5 선을 그린 규칙을 찾아 색칠한 부분에 알맞은 선을 그려 넣으세요. 추론

❶
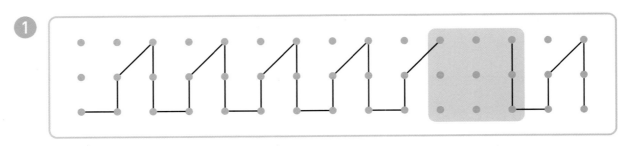

❷
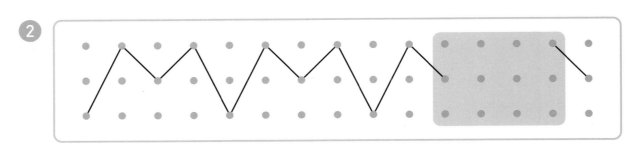

6 출발점에서 도착점까지 가장 빠른 방법으로 미로를 통과하는 길을 그려 보세요. 이때, 통과하는 길에 있는 모양이 반복되는 규칙을 찾아 써 보세요. 추론 문제 해결

➡ ＿＿＿＿＿＿＿＿＿＿＿＿＿＿＿＿＿＿ 가 반복되는 규칙입니다.

7 두더지가 일정한 규칙에 따라 밖으로 나옵니다. 일곱 번째와 여덟 번째 그림에서 두더지가 나타나는 곳을 모두 찾아 ◯표 하세요. 추론 문제 해결

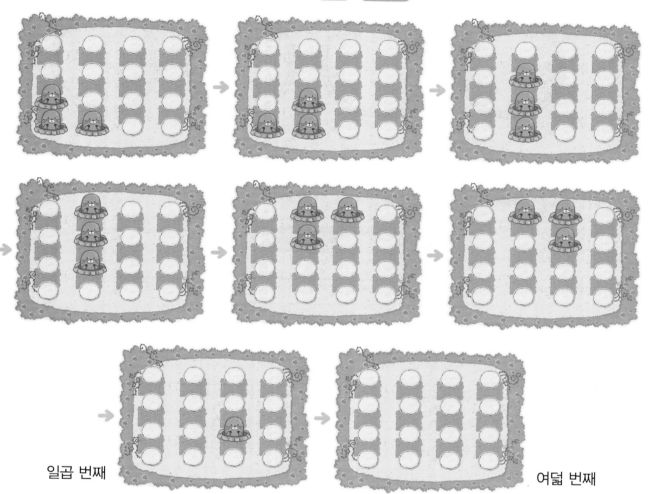

일곱 번째   여덟 번째

8 다음과 같이 수를 쓸 때 30은 가 ~ 바 중에서 어느 글자 아래에 쓰게 되는지 구해 보세요. 추론 문제 해결

가	나	다	라	마	바
1		2		3	
	4		5		6
7		8		9	
	10		11		12
13		14		15	
⋮	⋮	⋮	⋮	⋮	⋮

(   )

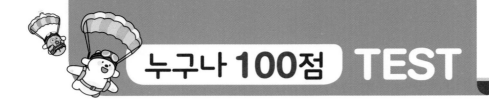
1 바늘이 회전하는 규칙을 찾아 마지막 시계에 바늘을 알맞게 그려 넣으세요.

2 곱셈표에서 규칙을 찾아 빈칸에 알맞은 수를 써넣으세요.

×	4	5	6	7
4	16	20	24	28
5	20	25	30	35
6	24	30	36	42
7	28	35	42	49

3 규칙에 따라 쌓기나무를 쌓았습니다. 첫 번째 모양부터 여섯 번째 모양까지 쌓는 데 필요한 쌓기나무는 모두 몇 개인지 구해 보세요.

첫 번째　　　두 번째　　　세 번째　　　네 번째　　　다섯 번째

여섯 번째 모양에 쌓을 쌓기나무는 ☐개입니다.

여섯 번째 모양까지 쌓을

쌓기나무는 모두 2＋3＋4＋☐＋☐＋☐＝☐(개)입니다.

▶ 정답 및 해설 32쪽

4 다음과 같은 규칙으로 무늬를 꾸몄습니다. ⬜ 안에 🌼과 ⚫이 모두 5개 들어갈 때 각각 몇 개씩 들어가는지 구해 보세요.

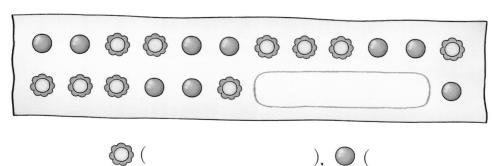

🌼 (   ), ⚫ (   )

5 규칙을 찾아 빈 곳에 알맞은 수를 그리고 색칠해 보세요.

1   ⬜   **7**   **10**   **13**   **16**   **19**   **22**   **25**

6 주사위 2개를 동시에 던졌을 때 나온 눈의 수입니다. 눈의 수의 차를 구하여 표와 그래프를 완성해 보세요.

주사위 2개를 던져서 나온 눈의 수

회	1	2	3	4	5	6	7	8
두 주사위의 눈	5, 6	1, 2	2, 2	1, 4	2, 6	3, 5	2, 6	6, 5
눈의 수의 차								

⬇

눈의 수의 차별 나온 횟수

4						
3						
2						
1						
나온 횟수 (회) / 눈의 수의 차	0	1	2	3	4	5

memo

초등 수학 기초 학습 능력 강화 교재

2021 신간

하루하루 쌓이는 수학 자신감!

똑똑한 하루

수학 시리즈

초등 수학 첫 걸음

수학 공부, 절대 지루하면 안 되니까~
하루 10분 학습 커리큘럼으로
쉽고 재미있게 수학과 친해지기!

학습 영양 밸런스

〈수학〉은 물론 〈계산〉, 〈도형〉, 〈사고력〉편까지
초등 수학 전 영역을 커버하는 맞춤형 교재로
편식은 NO! 완벽한 수학 영양 밸런스!

창의·사고력 확장

초등학생에게 꼭 필요한 수학 지식과
창의·융합·사고력 확장을 위한
재미있는 문제 구성으로 힘찬 워밍업!

우리 아이 공부습관 프로젝트! 초1~초6

하루 수학 (총 6단계, 12권)

하루 계산 (총 6단계, 12권)

하루 도형 (총 6단계, 6권)

하루 사고력 (총 6단계, 12권)

✄ 쉽다!

10분이면 하루치 공부를 마칠 수 있는 커리큘럼으로,
아이들이 초등 학습에 쉽고 재미있게 접근할 수 있도록 구성하였습니다.

🧩 재미있다!

교과서는 물론 생활 속에서 쉽게 접할 수 있는 다양한 소재와
재미있는 게임 형식의 문제로 흥미로운 학습이 가능합니다.

📖 똑똑하다!

초등학생에게 꼭 필요한 학습 지식 습득은 물론
창의력 확장까지 가능한 교재로 올바른 공부습관을 가지는 데 도움을 줍니다.

정답 및 해설

똑똑한

하루
사고력

초등
수학 **2B**
2학년 수준

천재교육

정답 및 해설
포인트 3가지

▶ 한눈에 알아볼 수 있는 정답 제시

▶ 혼자서도 이해할 수 있는 문제 풀이

▶ 꼭 필요한 사고력 유형 풀이 제시

똑 똑 한
하루
사고력

창의·융합·서술·코딩

정답 및 해설

초등
수학 **2 B**
2학년 수준

1주

1-1 8, 4, 1, 5   **1-2** 5803

2-1 6350, 8350, 9350

2-2 1870, 1880, 1890, 1900

3-1 (1) > (2) > (3) < (4) >

3-2 시우

4-1 (1) 6 (2) 16 (3) 20 (4) 20

4-2 (1) 63 (2) 81 (3) 36 (4) 24

5-1 1   **5-2** 0

2-1 1000씩 뛰어서 세면 천의 자리 수가 1씩 커집니다.

2-2 10씩 뛰어서 세면 십의 자리 수가 1씩 커집니다.

3-1 천의 자리, 백의 자리, 십의 자리, 일의 자리의 순서대로 크기를 비교합니다.

3-2 ·삼천구백십: 3910
·1000이 3개, 100이 4개, 10이 9개, 1이 5개 인 수: 3495
→ 3910>3495이므로 더 큰 수를 설명한 사람은 시우입니다.

5-1 어떤 수와 1의 곱은 어떤 수입니다.

5-2 어떤 수와 0의 곱은 0입니다.

활동 문제 8쪽

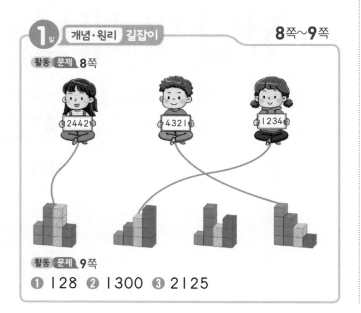

활동 문제 9쪽

❶ 128 ❷ 1300 ❸ 2125

활동 문제 8쪽

·2442 → 2개, 4개, 4개, 2개

·4321 → 4개, 3개, 2개, 1개

·1234 → 1개, 2개, 3개, 4개

활동 문제 9쪽

❶ ⬯(100)이 1개, ∩(10)이 2개, /(1)이 8개이므로 128입니다.

❷ 웅(1000)이 1개, ⬯(100)이 3개이므로 1300입니다.

❸ 웅(1000)이 2개, ⬯(100)이 1개, ∩(10)이 2개, /(1)이 5개이므로 2125입니다.

1-1 (왼쪽에서부터) ▼ ▼ ▼ ; ●●●●●●●● ; ◆◆

1-2 (1) 7, 5, 4, 2
(2) ▲▲▲▲▲▲▲●●●●●★★★★♥♥

2-1 4314

2-2 (1) 1, 2, 3, 1 (2) 1231

2-3 5604

1-1 4382는 ■를 4개, ▼를 3개, ●를 8개, ◆를 2개 그려야 합니다.

1-2 (2) ▲ 7개, ● 5개, ★ 4개, ♥ 2개를 차례로 그립니다.

2-1 가 4개, 가 3개, 가 1개, 가 4개이므로 1000이 4개, 100이 3개, 10이 1개, 1이 4개인 수입니다.
→ 4000+300+10+4=4314

2-2 구하려는 것 쌓기나무로 만든 모양이 나타내는 수
주어진 조건 각 색깔별 쌓기나무가 나타내는 수, 쌓기나무로 만든 모양
해결 전략 각 색깔별 사용한 쌓기나무의 수를 세어 각각이 나타내는 수를 구한 다음 모두 더하여 하나의 수로 나타냅니다.
(2) 가 1개, 가 2개, 가 3개, 가 1개이 므로 1000이 1개, 100이 2개, 10이 3개, 1이 1개인 수입니다.
→ 1000+200+30+1=1231

2-3 가 5개, 가 6개, 가 4개이므로 1000이 5개, 100이 6개, 1이 4개인 수입니다.
→ 5000+600+4=5604

정답 및 해설

1일 사고력·코딩 12쪽~13쪽

1 예

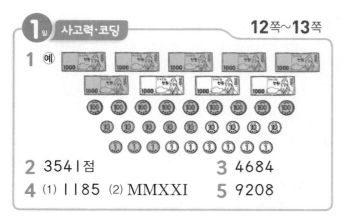

2 3541점

3 4684

4 (1) 1185 (2) MMXXI

5 9208

1 1000원짜리 지폐 6장, 100원짜리 동전 9개, 10원짜리 동전 5개, 1원짜리 동전 3개에 색칠합니다.

2 빨간색 공이 3개, 파란색 공이 5개, 노란색 공이 4개, 초록색 공이 1개이므로 1000이 3개, 100이 5개, 10이 4개, 1이 1개인 수입니다.
➡ 3000+500+40+1=3541(점)

3 ▨가 4개, ▨가 6개, ▨가 8개, ▨가 4개이므로 1000이 4개, 100이 6개, 10이 8개, 1이 4개인 수입니다. ➡ 4000+600+80+4=4684

4 (1) MCLXXXV
   ➡ 1000+100+50+10+10+10+5
   =1000+100+80+5=1185
   (2) 2021=2000+20+1
   =1000+1000+10+10+1
   ➡ MMXXI

5 천의 자리: 5000+4000=9000,
   백의 자리: 200, 십의 자리: 0, 일의 자리: 5+3=8
   ➡ 9000+200+8=9208

2일 개념·원리 길잡이 14쪽~15쪽

활동 문제 14쪽

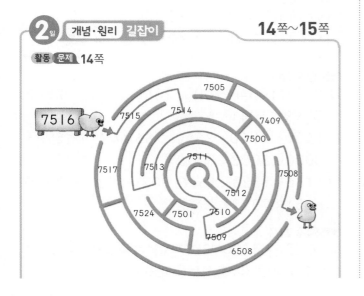

활동 문제 15쪽

활동 문제 14쪽

1씩 거꾸로 뛰어 세면 일의 자리 수가 1씩 작아집니다.

활동 문제 15쪽

가운데 수를 기준으로 ▭에는 1만큼 뛰어 센 수를, ▭에는 10만큼 거꾸로 뛰어 센 수를, ▭에는 100만큼 뛰어 센 수를, ▭에는 1000만큼 거꾸로 뛰어 센 수를 써넣습니다.

2일 서술형 길잡이 독해력 길잡이 16쪽~17쪽

1-1 4700, 5600, 6800

1-2 (1) 10 (2) 100 (3) 5502, 5682, 5792

2-1 4달

2-2 (1) 6600, 6700, 6800, 6900 (2) 5일

2-3 7분

1-1 ♣에 알맞은 수는 4600에서 100만큼 뛰어 센 수이므로 4700입니다.
   ♥에 알맞은 수는 4600에서 1000만큼 뛰어 센 수이므로 5600입니다.
   ★에 알맞은 수는 6700에서 100만큼 뛰어 센 수이므로 6800입니다.

1-2 (1) ➡는 십의 자리 수가 1씩 커지므로 10씩 뛰어 센 것입니다.
   (2) ⬇는 백의 자리 수가 1씩 커지므로 100씩 뛰어 센 것입니다.
   (3) ▲에 알맞은 수는 5402에서 100만큼 뛰어 센 수이므로 5502입니다.
   ◆에 알맞은 수는 5672에서 10만큼 뛰어 센 수이므로 5682입니다.
   ♣에 알맞은 수는 5692에서 100만큼 뛰어 센 수이므로 5792입니다.

2-1 4500에서 1000씩 4번 뛰어 세면 8500이 되므로 4달을 저금해야 합니다.

2-2 구하려는 것 주혁이가 저금해야 하는 날수

주어진 조건 저금통에 들어 있는 돈 6500원, 매일 100원씩 저금

해결 전략 6500에서 7000까지 100씩 뛰어 센 후 뛰어 센 횟수를 세어 봅니다.

(1) 100씩 뛰어 세면 백의 자리 수가 1씩 커집니다.

(2) 6500에서 100씩 5번 뛰어 세면 7000이 되므로 5일을 저금해야 합니다.

2-3 5480에서 10씩 뛰어 세면 5480 − 5490 − 5500 − 5510 − 5520 − 5530 − 5540 − 5550입니다.

따라서 5480에서 10씩 7번 뛰어 세면 5550이 되므로 성수의 저금통에 들어 있는 돈이 5550원이 될 때까지 걸리는 시간은 7분입니다.

---

②일 **사고력·코딩**　　　　　**18쪽~19쪽**

1 (위에서부터) (1) 8790, 8890, 8990, 9090
　　　　　　　　　　(2) 2178, 2078, 1978, 1878

2 6500원

3 (계산 순서대로) 4184, 4194, 4294, 4293

4 4960　　　　　　**5** 5467

6 (위에서부터) 2547, 2642, 2843, 2845

---

1 (1) 100씩 뛰어서 세면 백의 자리 수가 1씩 커집니다.

(2) 100씩 거꾸로 뛰어서 세면 백의 자리 수가 1씩 작아집니다.

2 7월부터 10월까지는 4달이므로 2500에서 1000씩 4번 뛰어 세면 2500 − 3500 − 4500 − 5500 − 6500입니다.
　　　　　　　　6월　　7월　　8월
　　9월　　10월

따라서 10월까지 저금하고 난 후 저금통에 들어 있는 돈은 6500원이 됩니다.

3

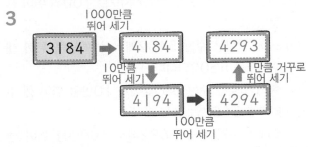

4 어떤 수는 5000에서 10씩 거꾸로 4번 뛰어서 센 수입니다. 5000 − 4990 − 4980 − 4970 − 4960이므로 어떤 수는 4960입니다.

5 단계 1 4567의 백의 자리 숫자가 홀수이므로 4567에서 1000만큼 뛰어 센 수인 5567을 보냅니다.

단계 2 5567의 천의 자리 숫자가 십의 자리 숫자보다 작으므로 100만큼 거꾸로 뛰어 센 수인 5467을 내보냅니다.

6 →는 일의 자리 수가 1씩 커지므로 1씩 뛰어 센 것이고, ↓는 백의 자리 수가 1씩 커지므로 100씩 뛰어 센 것입니다.

- 2544에서 1씩 3번 뛰어 센 수는
  2544 − 2545 − 2546 − 2547입니다.
- 2643에서 1만큼 거꾸로 뛰어 센 수는 2642입니다.
- 2643에서 100씩 2번 뛰어 센 수는
  2643 − 2743 − 2843입니다.
- 2745에서 100만큼 뛰어 센 수는 2845입니다.

---

③일 **개념·원리 길잡이**　　　**20쪽~21쪽**

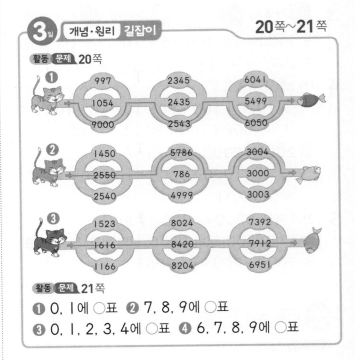

활동 문제 20쪽

❶ 997<1054<9000, 2345<2435<2543, 5499<6041<6050

❷ 1450<2540<2550, 786<4999<5786, 3000<3003<3004

❸ 1166<1523<1616, 8024<8204<8420, 6951<7392<7912

활동 문제 21쪽

보이지 않는 자리에 0부터 9까지의 수를 넣었을 때 왼쪽에 적힌 수가 더 큰 경우를 모두 찾아봅니다.

3일 서술형 길잡이 독해력 길잡이 **22**쪽~**23**쪽

1-1 5개

1-2 6, 1, 0, 1, 2, 3, 4

1-3 (1) 0, 1, 2, 3, 4, 5, 6 (2) 7개

2-1 (왼쪽에서부터) 2, 1, 3, 4

2-2 (1) 4, 3, 4, 4
(2) 1397, 1539, 1879
(3) 강감찬, 세종대왕, 허준, 안중근

1-1 천의 자리, 백의 자리 수가 같고, 십의 자리 수를 비교
하면 ☐>5입니다.
일의 자리 수를 비교하면 5>2이므로 ☐ 안에 5도
들어갈 수 있습니다.
따라서 ☐ 안에 들어갈 수 있는 숫자는 5, 6, 7, 8,
9로 모두 5개입니다.

1-3 천의 자리, 백의 자리 수가 같고, 십의 자리 수를 비교
하면 6>☐입니다.
일의 자리 수를 비교하면 4>3이므로 ☐ 안에 6도
들어갈 수 있습니다.
따라서 ☐ 안에 들어갈 수 있는 숫자는 0, 1, 2, 3,
4, 5, 6으로 모두 7개입니다.

2-1 연도의 천의 자리 수를 비교하면 1<2이므로 1983
이 가장 작은 수입니다.
2014, 2017, 2020의 백의 자리 수가 같으므로
십의 자리 수를 비교하면 1<2입니다. 따라서 2020
이 가장 큰 수입니다.
2014와 2017의 일의 자리 수를 비교하면 4<7
이므로 2014<2017입니다.
➜ 1983<2014<2017<2020

2-2 구하려는 것 먼저 태어난 위인부터 순서대로 이름 쓰기
주어진 조건 각 위인들이 태어난 연도
해결 전략 각 위인들이 태어난 연도를 비교하여 수가 작은 연도에 태
어난 위인부터 차례로 이름을 씁니다.
(2) 4자리 수인 1539, 1879, 1397을 비교합니다.
5<8
➜ 1397<1539<1879
3<5
(3) 자릿수가 작으면 더 작은 수이므로 948이 가장 작
은 수입니다.
➜ 948<1397<1539<1879
강감찬 세종대왕 허준 안중근

3일 사고력·코딩 **24**쪽~**25**쪽

1 9640, 4069   **2** 라면

3 에베레스트, 안나푸르나, 킬리만자로, 몽블랑

4

수	1746 < 1764 < 3839 < 3976 < 5411
글자	오 늘 도 힘 내

5

6 태조, 세종, 영조, 정조, 철종

1 • 가장 큰 수는 천의 자리부터 차례로 큰 수를 놓습니다.
➜ 9640
• 가장 작은 수는 천의 자리부터 차례로 작은 수를 놓
아야 하지만 0은 천의 자리에 놓을 수 없으므로 백의
자리에 놓고, 두 번째로 작은 수부터 차례로 나머지
자리에 놓습니다. ➜ 4069

2 천의 자리 수를 비교하면 3<6<9이므로 라면의 가
격인 3☐00원이 가장 쌉니다.
따라서 라면을 주문해야 합니다.

3 높이의 천의 자리 수를 비교하면 4<5<8이므로
4807이 가장 작은 수이고 5895가 두 번째로 작은
수입니다. 8848과 8091의 백의 자리 수를 비교하면
8>0이므로 8848이 가장 큰 수입니다.
➜ 8848>8091>5895>4807

4 천의 자리 수를 비교하면 1<3<5이므로 가장 큰 수는
5411입니다.
천의 자리 수가 3인 두 수의 백의 자리 수를 비교하면
3839<3976입니다.
천의 자리 수가 1인 두 수의 백의 자리 수가 같으므로
십의 자리 수를 비교하면 1746<1764입니다.
➜ 1746 < 1764 < 3839 < 3976 < 5411
오   늘   도   힘   내

5 • 1000과 3000 사이에 있는 수: 2973, 1004
➜ 빨간색으로 색칠합니다.
• 3000과 6728 사이에 있는 수: 6278, 5555,
4310, 6727 ➜ 초록색으로 색칠합니다.
• 6728과 9999 사이에 있는 수: 6730, 8001,
6828, 9998 ➜ 노란색으로 색칠합니다.

정답 및 해설

정답 및 해설

6 왕의 자리에 오른 연도는 1392, 1724, 1418, 1849, 1776입니다.

천의 자리 수가 모두 1로 같으므로 백의 자리 수를 비교하면 $3<4<7<8$로 1392가 가장 작고, 1418이 두 번째로 작으며 1849가 가장 큽니다.

1724와 1776의 십의 자리 수를 비교하면 $2<7$이므로 1724가 1776보다 작습니다.

따라서 작은 수부터 차례대로 쓰면 1392, 1418, 1724, 1776, 1849이므로 먼저 왕의 자리에 오른 왕부터 차례대로 이름을 쓰면 태조, 세종, 영조, 정조, 철종입니다.

4일 **개념·원리 길잡이** **26**쪽~**27**쪽

활동 문제 26쪽

❶ 7, 4 ; 7, 4, 28　❷ 9, 4 ; 9, 4, 36
❸ 7, 5 ; 7, 5, 35　❹ 8, 5 ; 8, 5, 40

활동 문제 27쪽

❶ 4, 3, 12　❷ 2, 6, 12　❸ 3, 5, 15　❹ 9, 8, 72

활동 문제 27쪽

• 빨간 상자에는 가장 큰 수와 두 번째로 큰 수를 곱하는 곱셈식을 만듭니다.
• 파란 상자에는 가장 작은 수와 두 번째로 작은 수를 곱하는 곱셈식을 만듭니다.

4일 **서술형 길잡이** **독해력 길잡이** **28**쪽~**29**쪽

1-1 30개

1-2 (1)

●	●	●	●	●
●				

(2) 2, 5, 10

1-3 (1) 6개　(2) 7장　(3) $6×7=42$; 42개

2-1 63

2-2 (1) 9, 8, 72 ; 2, 3, 6　(2) 66

1-1 점이 5개 그려진 카드가 6장 있으므로 카드에 그려진 점은 모두 $5×6=30$(개)입니다.

1-2 (1) 카드 한 장당 점을 2개씩 그립니다.
(2) $2×5=10$(개)

1-3 $6×7=42$(개)

2-1 수야: 가장 큰 수인 9와 두 번째로 큰 수인 7을 사용하여 곱셈식을 만듭니다. ➡ $9×7=63$
시우: 가장 작은 수인 0과 두 번째로 작은 수인 1을 사용하여 곱셈식을 만듭니다. ➡ $0×1=0$
➡ 두 사람이 만든 곱셈식의 곱의 차: $63-0=63$

〔참고〕
0과 어떤 수의 곱은 항상 0이므로 곱이 가장 작은 곱셈식을 만들 때에는 0을 고르고 나머지 한 수는 어떤 수를 고르든 상관없습니다.

2-2 구하려는 것 두 사람이 만든 곱셈식의 곱의 차
주어진 조건 수 카드 8장, 2장을 골라 한 번씩만 사용, 예준이는 곱이 가장 큰 곱셈식, 지안이는 곱이 가장 작은 곱셈식을 만들려고 함
해결 전략 곱이 가장 큰 곱셈식과 곱이 가장 작은 곱셈식을 만든 후 두 곱셈식의 곱의 차를 구합니다.

(1) • 예준: 가장 큰 수인 9와 두 번째로 큰 수인 8을 사용하여 곱셈식을 만듭니다. ➡ $9×8=72$
• 지안: 가장 작은 수인 2와 두 번째로 작은 수인 3을 사용하여 곱셈식을 만듭니다. ➡ $2×3=6$

(2) $72-6=66$

4일 **사고력·코딩** **30**쪽~**31**쪽

1 24개　**2** 7, 8 또는 8, 7　**3** 18개
4 54　**5** (1) 2, 6　(2) 4, 4, 16

1 코뿔소 한 마리의 다리는 4개이고, 코뿔소가 모두 6마리이므로 다리는 모두 $4×6=24$(개)입니다.

2 곱하여 56이 되는 두 수는 7과 8입니다.
➡ $7×8=56$ 또는 $8×7=56$

3 카드 한 장에 ◆가 3개씩 6장에 그려져 있으므로 ◆는 모두 $3×6=18$(개)입니다.

4 가장 큰 곱을 만들기 위해서는 칠판에 적힌 숫자 중에서 가장 큰 숫자와 두 번째로 큰 숫자를 골라야 합니다.
$9>6>3>2>1$이므로 9와 6의 곱을 구합니다.
➡ $9×6=54$

5 (1) 색종이를 한 번 접으면 두 겹이 되고, 접은 종이에 구멍을 3개 뚫었으므로 구멍이 3개씩 2군데에 뚫립니다. ➡ $3×2=6$(개)
(2) 색종이를 두 번 접으면 네 겹이 되고, 접은 종이에 구멍을 4개 뚫었으므로 구멍이 4개씩 4군데에 뚫립니다. ➡ $4×4=16$(개)

5일 개념·원리 길잡이 32쪽~33쪽

활동 문제 32쪽

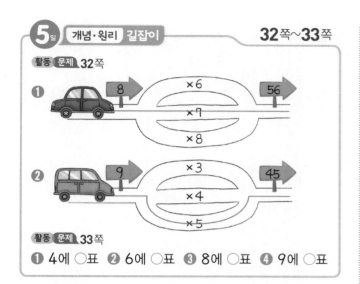

활동 문제 33쪽

❶ 4에 ○표 ❷ 6에 ○표 ❸ 8에 ○표 ❹ 9에 ○표

활동 문제 33쪽

❶ $2 \times 8 = 16 \Rightarrow 4 \times \square = 16$, $4 \times 4 = 16 \Rightarrow \square = 4$

❷ $6 \times 8 = 48 \Rightarrow 8 \times \square = 48$, $8 \times 6 = 48 \Rightarrow \square = 6$

> **참고**
> 곱하는 두 수의 순서를 바꾸어도 곱이 같으므로
> $6 \times 8 = 8 \times 6$입니다.

❸ $6 \times 4 = 24 \Rightarrow 3 \times \square = 24$, $3 \times 8 = 24 \Rightarrow \square = 8$

❹ $3 \times 3 = 9 \Rightarrow \square \times 1 = 9$, $9 \times 1 = 9 \Rightarrow \square = 9$

5일 서술형 길잡이 독해력 길잡이 34쪽~35쪽

1-1 1, 2, 3, 4, 5에 ○표

1-2 20, 20, 7, 14, 21, 1, 2, 2

1-3 (1) 40 (2) 7, 8, 9 (3) 3개

2-1 8, 24 ; 3

2-2 (1) $\square \times 4 = 32$ (2) 8 (3) 8

2-3 $9 \times \square = 54$; 6

1-1 $3 \times 9 = 27$이므로 $5 \times \square < 27$입니다.
따라서 $5 \times \square$가 27보다 작은 경우를 모두 찾습니다.
5단 곱셈구구를 써 보면 $5 \times 1 = 5$, $5 \times 2 = 10$,
$5 \times 3 = 15$, $5 \times 4 = 20$, $5 \times 5 = 25$, $5 \times 6 = 30$
……이므로 □ 안에 들어갈 수 있는 수는 1, 2, 3, 4,
5입니다.

1-3 $6 \times \square > 40$이므로 $6 \times \square$가 40보다 큰 경우를 모두
찾습니다. ➡ $6 \times 9 = 54$, $6 \times 8 = 48$, $6 \times 7 = 42$,
$6 \times 6 = 36$……이므로 □ 안에 들어갈 수 있는 수는
7, 8, 9입니다. ➡ 3개

2-1 어떤 수에 8을 곱하였더니 24가 되었습니다.
   ♥   ×8   =24
➡ ♥ $\times 8 = 24$
8단 곱셈구구를 이용하면 $8 \times 3 = 24$이므로 ♥ $=3$
입니다. 따라서 어떤 수는 3입니다.

2-2 **구하려는 것** 어떤 수
주어진 조건 어떤 수에 4를 곱하였더니 32가 됨
해결 전략 어떤 수를 □로 하여 식을 만들고 곱셈구구를 이용하여
□의 값을 찾습니다.

(1) 어떤 수에 4를 곱하였더니 32가 되었습니다.
   □   ×4   =32
➡ $\square \times 4 = 32$

(2) 4단 곱셈구구를 이용하면 $4 \times 8 = 32$이므로
$\square = 8$입니다.

(3) 어떤 수는 □의 값이므로 8입니다.

2-3 9에 어떤 수를 곱하였더니 54가 되었습니다.
     ×□   =54
➡ $9 \times \square = 54$
9단 곱셈구구를 이용하면 $9 \times 6 = 54$이므로 $\square = 6$
입니다. 따라서 어떤 수는 6입니다.

5일 사고력·코딩 36쪽~37쪽

1 5개

2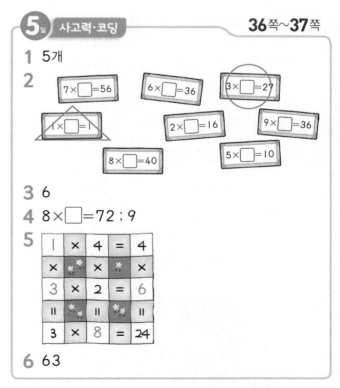

3 6

4 $8 \times \square = 72$; 9

5

1	×	4	=	4
×	✿	×	✿	×
3	×	2	=	6
=	✿	=	✿	=
3	×	8	=	24

6 63

1 $6 \times 3 = 18$, $4 \times 6 = 24$이므로 $18 < \square < 24$입니다.
따라서 □ 안에 들어갈 수 있는 수는 19, 20, 21,
22, 23으로 모두 5개입니다.

2

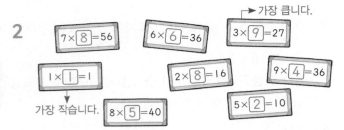

가장 큽니다.

$7 \times \boxed{8} = 56$　$6 \times \boxed{6} = 36$　$3 \times \boxed{9} = 27$

$1 \times \boxed{1} = 1$　$2 \times \boxed{8} = 16$　$9 \times \boxed{4} = 36$

가장 작습니다. $8 \times \boxed{5} = 40$　$5 \times \boxed{2} = 10$

3　• $2 \times \blacklozenge = 14$에서 $2 \times 7 = 14$이므로 $\blacklozenge$가 나타내는
수는 7입니다.

• $\blacklozenge \times \spadesuit = 42$ ➡ $7 \times \spadesuit = 42$에서 $7 \times 6 = 42$이
므로 $\spadesuit$가 나타내는 수는 6입니다.

4　8에 어떤 수를 곱하였더니 72가 되었습니다.

$\underline{} \times \boxed{} = 72$

➡ $8 \times \boxed{} = 72$

8단 곱셈구구를 이용하면 $8 \times 9 = 72$이므로 $\boxed{} = 9$
입니다. 따라서 어떤 수는 9입니다.

5　• $\boxed{} \times 4 = 4$ ➡ $1 \times 4 = 4$이므로 $\boxed{} = 1$입니다.

• $1 \times \boxed{} = 3$ ➡ $1 \times 3 = 3$이므로 $\boxed{} = 3$입니다.

• $3 \times 2 = \boxed{}$ ➡ $3 \times 2 = 6$이므로 $\boxed{} = 6$입니다.

• $3 \times \boxed{} = 24$ ➡ $3 \times 8 = 24$이므로 $\boxed{} = 8$입니다.

6　$2 \times 2 = 4$, $5 \times 7 = 35$

1(시작) ➡ 1은 4보다 작으므로 3을 곱합니다.

➡ $1 \times 3 = 3$ ➡ 3은 4보다 작으므로 3을 곱합니다.

➡ $3 \times 3 = 9$ ➡ 9는 4보다 큽니다.

➡ 9는 35보다 작으므로 7을 곱합니다.

➡ $9 \times 7 = 63$ ➡ 63은 35보다 큽니다. ➡ 63(끝)

1주 특강　창의·융합·코딩　38쪽~43쪽

1

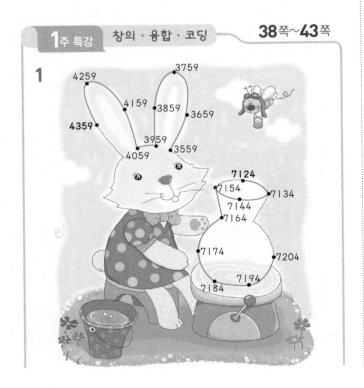

2

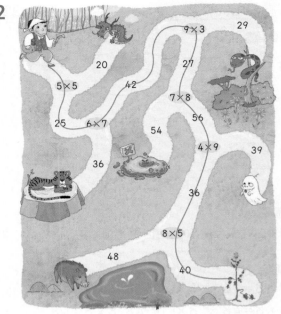

3

4241	**4242**	4243
1999	**2000**	2001
8606	**8607**	8608

6779	**6789**	6799
1590	**1600**	1610
3984	**3994**	4004

2690	**2790**	2890
6900	**7000**	7100
4808	**4908**	5008

4

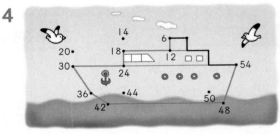

5　❶ 1234　❷ 3252

6

7　❶

; 9　❷ ; 20

8　5886

9

접은 손가락 수의 합	편 손가락 수의 곱	계산 결과
$\boxed{2} + \boxed{3} = 5$	$\boxed{3} \times \boxed{2} = 6$	➡ $\boxed{5}\,\boxed{6}$
$\boxed{1} + \boxed{4} = 5$	$\boxed{4} \times \boxed{1} = 4$	➡ $\boxed{5}\,\boxed{4}$

10　9개

1 거꾸로 100씩 뛰어 세면 백의 자리 수가 1씩 작아지고, 10씩 뛰어 세면 십의 자리 수가 1씩 커집니다.

2 $5 \times 5 = 25$, $6 \times 7 = 42$, $9 \times 3 = 27$, $7 \times 8 = 56$, $4 \times 9 = 36$, $8 \times 5 = 40$

3 • 1만큼 더 작은 수는 일의 자리 수가 1씩 작아지고, 1만큼 더 큰 수는 일의 자리 수가 1씩 커집니다.
　• 10만큼 더 작은 수는 십의 자리 수가 1씩 작아지고, 10만큼 더 큰 수는 십의 자리 수가 1씩 커집니다.
　• 100만큼 더 작은 수는 백의 자리 수가 1씩 작아지고, 100만큼 더 큰 수는 백의 자리 수가 1씩 커집니다.

4 $6 \times 1 = 6$, $6 \times 2 = 12$, $6 \times 3 = 18$, $6 \times 4 = 24$, $6 \times 5 = 30$, $6 \times 6 = 36$, $6 \times 7 = 42$, $6 \times 8 = 48$, $6 \times 9 = 54$

5 ❶ $1000 + 200 + 30 + 4 = 1234$
　 ❷ $3000 + 200 + 50 + 2 = 3252$

6 8단: $8 \times 1 = 8$, $8 \times 2 = 16$, $8 \times 4 = 32$,
　　　 $8 \times 5 = 40$, $8 \times 6 = 48$, $8 \times 8 = 64$
　　　 ➡ 노란색으로 색칠합니다.
　 7단: $7 \times 1 = 7$, $7 \times 2 = 14$, $7 \times 3 = 21$,
　　　 $7 \times 5 = 35$, $7 \times 7 = 49$, $7 \times 9 = 63$
　　　 ➡ 연두색으로 색칠합니다.

7 ❶ 세로줄 3개와 가로줄 3개를 그리고 만나는 점의 수를 세어 보면 9개이므로 $3 \times 3 = 9$입니다.
　 ❷ 세로줄 4개와 가로줄 5개를 그리고 만나는 점의 수를 세어 보면 20개이므로 $4 \times 5 = 20$입니다.

8 • 5000보다 크고 6000보다 작으므로 천의 자리 숫자는 5입니다. ➡ 5☐☐☐
　• 백의 자리 숫자는 천의 자리 숫자인 5보다 3만큼 더 큰 수이므로 8입니다. ➡ 58☐☐
　• 십의 자리 숫자는 백의 자리 숫자인 8과 같습니다. ➡ 588☐
　• 일의 자리 숫자는 십의 자리 숫자인 8보다 2만큼 더 작으므로 6입니다. ➡ 5886

10 팔린드롬 수는 숫자를 거꾸로 읽어도 원래 수와 같아야 하므로 천의 자리 수와 일의 자리 수가 같고, 백의 자리 수와 십의 자리 수가 같아야 합니다.
　 십의 자리 숫자가 7이면 백의 자리 숫자도 7이고, 천의 자리에는 0이 올 수 없으므로 십의 자리 숫자가 7인 팔린드롬 수는 1771, 2772, 3773, 4774, 5775, 6776, 7777, 8778, 9779로 모두 9개입니다.

누구나 100점 TEST　　　*44쪽~45쪽*

1 2075　　　　　　　　**2** 3000, 4600, 4900
3 (계산 순서대로) 4808, 5808, 5818, 5817
4 아마존강, 나일강, 황허강
5 28개　　　　　　　　**6** 7, 6, 42 ; 3, 4, 12
7 4개

1 ▥가 2개, ▤가 7개, ▤가 5개이므로 1000이 2개, 10이 7개, 1이 5개인 수입니다.
　➡ $2000 + 70 + 5 = 2075$

2 →는 백의 자리 수가 1씩 커지므로 100씩 뛰어 센 것이고, ↓는 천의 자리 수가 1씩 커지므로 1000씩 뛰어 센 것입니다.
　◆에 알맞은 수는 2900에서 100만큼 뛰어 센 수이므로 3000입니다.
　♥에 알맞은 수는 3600에서 1000만큼 뛰어 센 수이므로 4600입니다.
　★에 알맞은 수는 4800에서 100만큼 뛰어 센 수이므로 4900입니다.

3
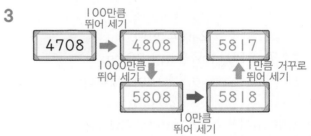

4 높이의 천의 자리 수를 비교하면 $5 < 6$이므로 5464가 가장 작은 수입니다. 6853과 6992의 백의 자리 수를 비교하면 $8 < 9$이므로 6992가 가장 큰 수입니다.
　➡ $6992 > 6853 > 5464$

5 점이 4개 그려진 카드가 7장 있으므로 카드에 그려진 점은 모두 $4 \times 7 = 28$(개)입니다.

6 • 곱이 가장 큰 곱셈식을 만들려면 가장 큰 수와 두 번째로 큰 수를 곱합니다. ➡ $7 \times 6 = 42$
　• 곱이 가장 작은 곱셈식을 만들려면 가장 작은 수와 두 번째로 작은 수를 곱합니다. ➡ $3 \times 4 = 12$

7 $7 \times 5 = 35$이므로 $6 \times ☐ > 35$입니다.
　 $6 \times ☐$가 35보다 큰 경우를 모두 찾아보면
　 $6 \times 9 = 54$, $6 \times 8 = 48$, $6 \times 7 = 42$, $6 \times 6 = 36$, $6 \times 5 = 30 \cdots$이므로 ☐ 안에 들어갈 수 있는 수는 6, 7, 8, 9로 모두 4개입니다.

2주

1-1 6, 7, 42   **1-2** 8, 5, 40

2-1

×	0	1	2	3
0	0	0	0	0
1	0	1	2	3
2	0	2	4	6
3	0	3	6	9

2-2

×	6	7	8	9
6	36	42	48	54
7	42	49	56	63
8	48	56	64	72
9	54	63	72	81

3-1 (1) 400   (2) 5   **3-2** (1) 2, 4   (2) 720

4-1 64, 4, 64, 4, 64   **4-2** 9, 5, 900, 5, 905

5-1 8, 75   **5-2** 1, 20

1-1 달걀이 한 판에 6개씩 7판에 담겨 있으므로 곱셈식으로 나타내면 $6 \times 7 = 42$입니다.

1-2 문어의 다리는 8개씩 5마리이므로 곱셈식으로 나타내면 $8 \times 5 = 40$입니다.

3-2 (1) 204 cm = 200 cm + 4 cm
　　　　　 = 2 m + 4 cm
　　　　　 = 2 m 4 cm
　　(2) 7 m 20 cm = 7 m + 20 cm
　　　　　　　 = 700 cm + 20 cm
　　　　　　　 = 720 cm

5-1 m는 m끼리, cm는 cm끼리 더합니다.

5-2 m는 m끼리, cm는 cm끼리 뺍니다.

1일 개념·원리 길잡이   50쪽~51쪽

활동 문제 50쪽

(왼쪽에서부터) 35, 24, 12

활동 문제 51쪽

❶

◆	8	7	6	5
●	1	2	3	4

❷

◆	7	6	5	4
●	1	2	3	4

❸

◆	9	8	7	6
●	2	3	4	5

활동 문제 50쪽

- 24 ➡ 3단 곱셈구구의 곱입니다. (○)
　　➡ 8단 곱셈구구의 곱입니다. (○)
　　➡ 5단 곱셈구구의 곱이 아닙니다. (×)
　　➡ 6단 곱셈구구의 곱입니다. (○)
　　➡ 홀수가 아닙니다. (×)
　　➡ 20보다 큽니다. (○)

- 35 ➡ 3단 곱셈구구의 곱이 아닙니다. (×)
　　➡ 홀수입니다. (○)
　　➡ 7단 곱셈구구의 곱입니다. (○)

- 12 ➡ 3단 곱셈구구의 곱입니다. (○)
　　➡ 8단 곱셈구구의 곱이 아닙니다. (×)
　　➡ 6단 곱셈구구의 곱입니다. (○)
　　➡ 홀수가 아닙니다. (×)
　　➡ 20보다 크지 않습니다. (×)
　　➡ 40보다 작습니다. (○)

활동 문제 51쪽

❶ $7 + 2 = 9$, $7 \times 2 = 14$

❷ $4 + 4 = 8$, $4 \times 4 = 16$

❸ $7 + 4 = 11$, $7 \times 4 = 28$

1일 서술형 길잡이 독해력 길잡이   52쪽~53쪽

1-1 ; 2, 7

작은 수	1	2	3	4
큰 수	6	7	8	9
두 수의 곱	6	14	24	36

1-2 (1)

작은 수	1	2	3	4	5	6	7
큰 수	3	4	5	6	7	8	9
두 수의 곱	3	8	15	24	35	48	63

(2) 5, 7

1-3

은수의 나이(살)	9	8	7	6	5	4
동생의 나이(살)	6	5	4	3	2	1
두 사람 나이의 곱	54	40	28	18	10	4

; 5살

2-1 정훈, 희정, 지현   **2-2** 선규, 재민, 세영

2-3 소희, 지민, 준서

1-1 작은 수에 5를 더하여 큰 수를 구한 후 각 경우의 곱을 구하여 표를 완성합니다.
　　$1 \times 6 = 6$, $2 \times 7 = 14$, $3 \times 8 = 24$, $4 \times 9 = 36$이므로 차가 5이고 곱이 14인 두 수는 2와 7입니다.

1-2 (1) 작은 수에 2를 더하여 큰 수를 구한 후 각 경우의
두 수의 곱을 구하여 표를 완성합니다.

1-3 (동생의 나이)=(은수의 나이)−3
➡ 두 사람 나이의 곱이 40인 경우를 찾으면 은수는
8살, 동생은 5살입니다.

2-1 지현: $4 \times 8 = 32$(개), 정훈: $6 \times 6 = 36$(개),
희정: $36 - 2 = 34$(개)
➡ $36 > 34 > 32$이므로 초콜릿을 많이 가지고 있는
사람부터 차례로 이름을 쓰면 정훈, 희정, 지현입니다.

2-2 구하려는 것 사탕을 많이 가지고 있는 사람부터 차례로 이름 쓰기

주어진 조건 사탕을 세영이는 6개씩 4묶음, 선규는 세영이보다 5개 더
많이 가지고 있음, 재민이는 9개씩 3묶음 가지고 있음

해결 전략 ❶ 세 사람이 각각 가지고 있는 사탕의 개수 구하기
❷ 사탕을 많이 가지고 있는 사람부터 차례로 이름 쓰기

세영: $6 \times 4 = 24$(개), 선규: $24 + 5 = 29$(개),
재민: $9 \times 3 = 27$(개)
➡ $29 > 27 > 24$이므로 사탕을 많이 가지고 있는
사람부터 차례로 이름을 쓰면 선규, 재민, 세영입니다.

2-3 지민: $5 \times 9 = 45$(장), 준서: $8 \times 6 = 48$(장),
소희: $48 - 4 = 44$(장)
➡ $44 < 45 < 48$이므로 색종이를 적게 가지고 있는
사람부터 차례로 이름을 쓰면 소희, 지민, 준서입니다.

❶일 사고력·코딩 54쪽~55쪽

1
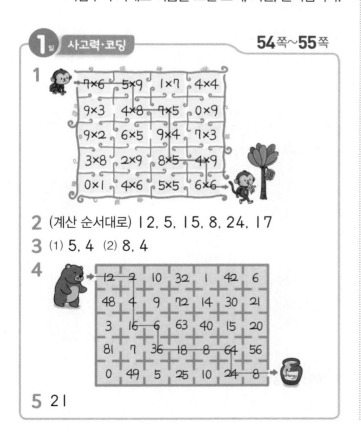

2 (계산 순서대로) 12, 5, 15, 8, 24, 17

3 (1) 5, 4 (2) 8, 4

4

5 21

1

$7 \times 6 = 42$	$5 \times 9 = 45$	$1 \times 7 = 7$	$4 \times 4 = 16$
$9 \times 3 = 27$	$4 \times 8 = 32$	$7 \times 5 = 35$	$0 \times 9 = 0$
$9 \times 2 = 18$	$6 \times 5 = 30$	$9 \times 4 = 36$	$7 \times 3 = 21$
$3 \times 8 = 24$	$2 \times 9 = 18$	$8 \times 5 = 40$	$4 \times 9 = 36$
$0 \times 1 = 0$	$4 \times 6 = 24$	$5 \times 5 = 25$	$6 \times 6 = 36$

2 $4 \times 3 = 12$ ➡ $12 - 7 = 5$ ➡ $5 \times 3 = 15$
➡ $15 - 7 = 8$ ➡ $8 \times 3 = 24$ ➡ $24 - 7 = 17$

3 (1) ♥와 ▲의 합이 9인 경우를 모두 찾아보고 그중 곱이
20인 경우를 찾습니다.

♥	8	7	6	5
▲	1	2	3	4
곱	8	14	18	20

(2) ♥와 ▲의 차가 4인 경우를 모두 찾아보고 그중 곱이
32인 경우를 찾습니다.

♥	5	6	7	8	9
▲	1	2	3	4	5
곱	5	12	21	32	45

4 12 ➡ $1 \times 2 = 2$ ➡ $2 \times 2 = 4$ ➡ $4 \times 4 = 16$
두 자리 수　　한 자리 수　　한 자리 수　　두 자리 수
➡ $1 \times 6 = 6$ ➡ $6 \times 6 = 36$ ➡ $3 \times 6 = 18$
한 자리 수　　두 자리 수　　두 자리 수
➡ $1 \times 8 = 8$ ➡ $8 \times 8 = 64$ ➡ $6 \times 4 = 24$
한 자리 수　　두 자리 수　　두 자리 수
➡ $2 \times 4 = 8$

5 7단 곱셈구구에 나오는 수는 $7 \times 1 = 7$, $7 \times 2 = 14$,
$7 \times 3 = 21$, $7 \times 4 = 28$, $7 \times 5 = 35$, $7 \times 6 = 42$,
$7 \times 7 = 49$, $7 \times 8 = 56$, $7 \times 9 = 63$입니다.
이 중에서 $3 \times 8 = 24$보다 작은 수는 7, 14, 21입니다.
$2 \times 5 = 10$과 $2 \times 4 = 8$을 더하면 $10 + 8 = 18$이
므로 18보다 큰 수를 찾으면 21입니다.

❷일 개념·원리 길잡이 56쪽~57쪽

활동 문제 56쪽

❶ 6, 15 ; 21 　❷ 9, 12 ; 21 　❸ 18, 3 ; 21
❹ 7, 21 ; 28 　❺ 14, 14 ; 28 　❻ 21, 7 ; 28

활동 문제 57쪽

❶ 27 ; 27, 39 　❷ 20, 4 ; 20, 4, 16
❸ 24, 3, 6 ; 24, 6, 18

활동 문제 57쪽
❶ 두 부분의 합으로 전체 수를 구하는 방법입니다.
❷~❸ 두 부분의 차로 전체 수를 구하는 방법입니다.

2일 [서술형] 길잡이 [독해력] 길잡이 58쪽~59쪽

1-1 18개

1-2 (1) 3, 3, 9 ; 6, 5, 30 (2) 39개

2-1 32개

2-2 (1) 10개 (2) 30개 (3) 40개

1-1 왼쪽: 3×4=12(개), 오른쪽: 3×2=6(개)
➡ (전체 상자 수)=12+6=18(개)

1-2 (2) 9+30=39(개)

2-1 (지민이네 농장의 말의 다리의 수)=4×5=20(개)
(재원이네 농장의 말의 다리의 수)=4×3=12(개)
➡ (두 농장의 말의 다리 수의 합)=20+12=32(개)

> **다른 풀이**
> (두 농장의 말의 수의 합)=5+3=8(마리)
> ➡ (두 농장의 말의 다리 수의 합)=4×8=32(개)

2-2 [구하려는 것] 두 사람이 가지고 있는 사탕 수의 합
[주어진 조건] 사탕이 한 봉지에 5개씩 들어 있음, 사탕을 지안이는 2봉지, 예준이는 6봉지 가지고 있음
[해결 전략] ❶ 지안이와 예준이가 각각 가지고 있는 사탕의 수 구하기
❷ 두 사람이 가지고 있는 사탕의 수의 합 구하기
(1) 5×2=10(개) (2) 5×6=30(개)
(3) 10+30=40(개)

2일 [사고력·코딩] 60쪽~61쪽

1 (1) 24개 (2) 14개 (3) 38개

2 18점

3 3, 5, 15 ; 6, 5, 30 ; 3, 4, 12 ; 6, 4, 24 ; 81

4 (1) 예

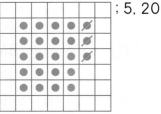

; 5, 20

(2) 예

; 4, 24

5 3, 6, 2 ; 27개   **6** 16개

---

1 (1) 여우 한 마리의 다리는 4개이고 6마리 있으므로
4×6=24(개)입니다.
(2) 오리 한 마리의 다리는 2개이고 7마리 있으므로
2×7=14(개)입니다.
(3) 24+14=38(개)

2 연두색 조각 3개와 빨간색 조각 4개를 사용했습니다.
연두색 조각의 점수: 2×3=6(점)
빨간색 조각의 점수: 3×4=12(점)
➡ 만든 모양의 점수: 6+12=18(점)

3 ●의 수: 3개씩 5줄 ➡ 3×5=15
●의 수: 6개씩 5줄 ➡ 6×5=30
●의 수: 3개씩 4줄 ➡ 3×4=12
●의 수: 6개씩 4줄 ➡ 6×4=24
➡ 전체 수: (●의 수)+(●의 수)+(●의 수)+(●의 수)
=15+30+12+24=81
=9×9 ➡ 9개씩 9줄

4 (1) 4개씩 5줄로 만들 수 있습니다. ➡ 4×5=20
(2) 6개씩 4줄로 만들 수 있습니다. ➡ 6×4=24

5 위쪽과 아래쪽 두 부분으로 나누어 생각하면 위쪽은
5×3=15이고, 아래쪽은 6×2=12입니다.
따라서 사용한 블록은 모두 15+12=27(개)입니다.

6 가위를 낸 3명이 펼친 손가락 수: 2×3=6(개)
바위를 낸 2명이 펼친 손가락 수: 0×2=0(개)
보를 낸 2명이 펼친 손가락 수: 5×2=10(개)
➡ 6+0+10=16(개)

3일 [개념·원리] 길잡이 62쪽~63쪽

[활동] [문제] 62쪽

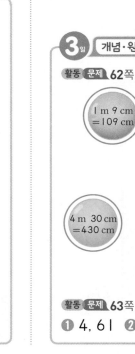

[활동] [문제] 63쪽

❶ 4, 61 ❷ 2, 12 ❸ 4, 53

활동 문제 62쪽

· 804 cm=800 cm+4 cm=8 m+4 cm
　　　　　=8 m 4 cm

· 1 m 1 cm=1 m+1 cm=100 cm+1 cm
　　　　　　=101 cm

· 900 cm=9 m

활동 문제 63쪽

❶ 881 cm−4 m 20 cm
　=8 m 81 cm−4 m 20 cm
　=4 m 61 cm

❷ 9 m 77 cm−765 cm
　=9 m 77 cm−7 m 65 cm
　=2 m 12 cm

❸ 7 m 56 cm−303 cm
　=7 m 56 cm−3 m 3 cm
　=4 m 53 cm

3일 서술형 길잡이 독해력 길잡이 64쪽~65쪽

1-1 시우, 13 cm
1-2 75, 1, 75, 사랑, 1, 75, 1, 60, 15
1-3 ⑴ 2 m 48 cm　⑵ 예준, 2 m 14 cm
2-1 수진, 석수, 미선　2-2 지현, 정훈, 희정

1-1 220 cm=200 cm+20 cm=2 m+20 cm
　　　　　=2 m 20 cm
➡ 2 m 7 cm<2 m 20 cm이므로 시우의 리본이
2 m 20 cm−2 m 7 cm=13 cm 더 깁니다.

1-2 1 m 60 cm<1 m 75 cm이므로 사랑이의 줄넘
기가 더 깁니다.

1-3 ⑴ 248 cm=200 cm+48 cm
　　　　　=2 m+48 cm
　　　　　=2 m 48 cm

⑵ 4 m 62 cm>2 m 48 cm이므로 예준이의 끈
이 4 m 62 cm−2 m 48 cm=2 m 14 cm
더 깁니다.

2-1 수진: 126 cm=100 cm+26 cm
　　　　　　=1 m+26 cm
　　　　　　=1 m 26 cm
미선: 1 m 26 cm−3 cm=1 m 23 cm
➡ 1 m 26 cm > 1 m 25 cm > 1 m 23 cm
　　　수진　　　　석수　　　　미선

2-2 구하려는 것 색 테이프의 길이가 긴 사람부터 순서대로 이름 쓰기

주어진 조건 희정이는 4 m 5 cm, 정훈이는 410 cm, 지현이는 희정이보다
6 cm 더 긴 색테이프를 가지고 있음

해결 전략 ❶ 정훈이가 가지고 있는 색 테이프의 길이를 몇 m 몇
cm로 바꾸어 나타내기
❷ 지현이가 가지고 있는 색테이프의 길이 구하기
❸ 색 테이프의 길이를 비교하여 가지고 있는 색 테이프의
길이가 긴 사람부터 순서대로 이름 쓰기

정훈: 410 cm=400 cm+10 cm
　　　　　　=4 m+10 cm=4 m 10 cm,
지현: 4 m 5 cm+6 cm=4 m 11 cm
➡ 4 m 11 cm > 4 m 10 cm > 4 m 5 cm
　　　지현　　　　정훈　　　　희정

3일 사고력·코딩 66쪽~67쪽

1 5, 38　　　　　　　　2 1 m 27 cm
3 시우, 지안, 예준
4 ⑴ 23 m, 26 m 10 cm　⑵ 경희
5

| 9 | m | 7 | 5 | cm | ; | 2 | m | 3 | 4 | cm |

;

```
    9 m 7 5 cm
  − 2 m 3 4 cm
  ─────────────
    7 m 4 1 cm
```

1 1473 cm−9 m 35 cm
　=14 m 73 cm−9 m 35 cm=5 m 38 cm

2 (의자의 높이)+(세현이의 키)=1 m 79 cm
➡ (세현이의 키)=1 m 79 cm−(의자의 높이)
　　　　　　=1 m 79 cm−52 cm
　　　　　　=1 m 27 cm

3 시우: 301 cm=300 cm+1 cm=3 m+1 cm
　　　　　　=3 m 1 cm
지안: 2 m 85 cm+7 cm=2 m 92 cm
➡ 3 m 1 cm > 2 m 92 cm > 2 m 85 cm
　　　시우　　　　지안　　　　예준

4 ⑴ 2300 cm=23 m, 2610 cm=26 m 10 cm
⑵ 19 m 95 cm<23 m<26 m 10 cm
<28 m 90 cm이므로 학교에서 가까운 곳에 사는
학생부터 차례로 이름을 쓰면 범석, 경희, 재일, 유정
입니다. 따라서 두 번째로 가까운 곳에 사는 사람은
경희입니다.

5 가장 긴 길이는 m 단위부터 큰 수를 차례로 놓고, 가장 짧은 길이는 작은 수를 차례로 놓습니다.

9>7>5>4>3>2이므로 가장 긴 길이는 9 m 75 cm이고, 가장 짧은 길이는 2 m 34 cm입니다.

➡ (가장 긴 길이)−(가장 짧은 길이)
　　=9 m 75 cm−2 m 34 cm=7 m 41 cm

4일 개념·원리 **길잡이**　　　　　　　　**68**쪽~**69**쪽

활동 문제 **68**쪽
36, 85, 43, 10, 79, 95

활동 문제 **69**쪽
❶ 30, 70, 72, 10, 102, 80
❷ 63, 50, 42, 40, 105, 90
❸ 67, 9, 60, 70, 127, 79

4일 서술형 **길잡이** 독해력 **길잡이**　　**70**쪽~**71**쪽

1-1 12 m 20 cm
1-2 (1) 8 m 8 cm
　　 (2) 17 m 62 cm−8 m 8 cm=9 m 54 cm
　　 ; 9 m 54 cm
2-1 소방서, 5, 40
2-2 (1) 40 m 80 cm (2) 37 m 78 cm
　　 (3) 수영장, 3 m 2 cm

1-1 915 cm=900 cm+15 cm=9 m+15 cm
　　　　　　 =9 m 15 cm
　 ➡ 21 m 35 cm−9 m 15 cm=12 m 20 cm

1-2 (1) 808 cm=800 cm+8 cm=8 m+8 cm
　　　　　　　 =8 m 8 cm
　　 (2) (수현이네 집에서 민기네 집까지의 거리)
　　　　 =(희준이네 집에서 민기네 집까지의 거리)
　　　　　 −(희준이네 집에서 수현이네 집까지의 거리)
　　　　 =17 m 62 cm−8 m 8 cm=9 m 54 cm

2-1 • 소방서를 지나는 길:
　　　 41 m 13 cm+43 m 25 cm=84 m 38 cm
　　 • 우체국을 지나는 길:
　　　 57 m 42 cm+32 m 36 cm=89 m 78 cm
　 ➡ 84 m 38 cm<89 m 78 cm이므로 소방서를 지나는 길이 89 m 78 cm−84 m 38 cm=5 m 40 cm 더 가깝습니다.

2-2 구하려는 것 학교에서 서점으로 가는 길 중에서 어느 곳을 지나는 길이 얼마나 더 가까운지 구하기

주어진 조건 은행과 수영장을 지나는 길, 각 건물 사이의 거리

해결 전략 ❶ 학교에서 은행을 지나 서점으로 가는 길의 거리 구하기
　　　　 ❷ 학교에서 수영장을 지나 서점으로 가는 길의 거리 구하기
　　　　 ❸ 더 가까운 길을 찾고, 두 길의 거리의 차 구하기

(1) 23 m 12 cm+17 m 68 cm
　　=40 m 80 cm
(2) 14 m 28 cm+23 m 50 cm
　　=37 m 78 cm
(3) 40 m 80 cm>37 m 78 cm이므로 수영장을 지나는 길이 40 m 80 cm−37 m 78 cm=3 m 2 cm 더 가깝습니다.

4일 사고력·코딩　　　　　　　　**72**쪽~**73**쪽

1 마트
2 (1) 38 m 10 cm (2) 98 m 80 cm
　 (3) 1 m 50 cm
3 (1)

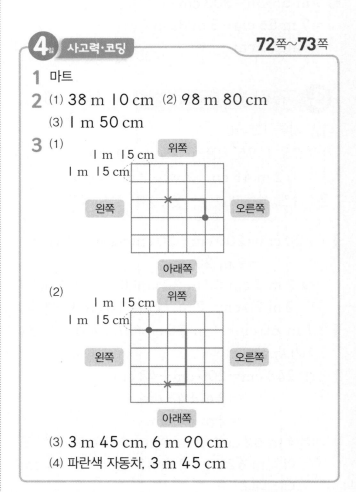

(3) 3 m 45 cm, 6 m 90 cm
(4) 파란색 자동차, 3 m 45 cm

1 • 마트를 지나는 길: 31 m 71 cm+33 m 20 cm
　　　　　　　　　 =64 m 91 cm
　 • 놀이터를 지나는 길: 34 m 67 cm+34 m 31 cm
　　　　　　　　　　 =68 m 98 cm
　 ➡ 64 m 91 cm<68 m 98 cm이므로 마트를 지나는 길이 더 가깝습니다.

2 (1) (집에서 학교까지의 거리)+(학교에서 집까지의 거리)
　　=19 m 5 cm+19 m 5 cm=38 m 10 cm

(2) (경찰서에서 집까지의 거리)
　　+(집에서 박물관까지의 거리)
　　=70 m 31 cm+28 m 49 cm
　　=98 m 80 cm

(3) • 박물관에서 집을 지나 마트까지 가는 길:
　　　28 m 49 cm+62 m 37 cm
　　　=90 m 86 cm
　　• 경찰서에서 집을 지나 학교까지 가는 길:
　　　70 m 31 cm+19 m 5 cm
　　　=89 m 36 cm
　　➡ 90 m 86 cm−89 m 36 cm
　　　=1 m 50 cm

3 (3) 빨간색 자동차가 이동한 거리:
　　　1 m 15 cm+1 m 15 cm+1 m 15 cm
　　　=3 m 45 cm
　　　파란색 자동차가 이동한 거리:
　　　1 m 15 cm+1 m 15 cm+1 m 15 cm
　　　+1 m 15 cm+1 m 15 cm+1 m 15 cm
　　　=6 m 90 cm

(4) 3 m 45 cm<6 m 90 cm이므로 파란색 자동차
　　가 6 m 90 cm−3 m 45 cm=3 m 45 cm
　　더 많이 이동했습니다.

5일 **개념·원리 길잡이** **74쪽~75쪽**

활동 문제 74쪽
❶ 10 m 80 cm　❷ 4 m 32 cm
❸ 10 m 50 cm　❹ 12 m 80 cm

활동 문제 75쪽
(위에서부터) ❶ 2, 3 ; 2, 3 ; 2, 68 ; 6, 74
　　　　　　 ❷ 5, 14 ; 5, 14 ; 6, 56 ; 16, 84

활동 문제 74쪽
❶ 3 m 15 cm+2 m 25 cm+3 m 15 cm
　+2 m 25 cm=10 m 80 cm
❷ 1 m 8 cm+1 m 8 cm+1 m 8 cm+1 m 8 cm
　=4 m 32 cm
❸ 3 m 15 cm+2 m 10 cm+3 m 15 cm
　+2 m 10 cm=10 m 50 cm
❹ 4 m+2 m 40 cm+4 m+2 m 40 cm
　=12 m 80 cm

활동 문제 75쪽
❶ 도형의 아랫변의 길이:
　1 m 34 cm+1 m 34 cm=2 m 68 cm
　➡ 도형의 둘레:
　　2 m 3 cm+2 m 3 cm+2 m 68 cm
　　=4 m 6 cm+2 m 68 cm=6 m 74 cm
❷ 도형의 아랫변의 길이:
　3 m 28 cm+3 m 28 cm=6 m 56 cm
　➡ 도형의 둘레:
　　5 m 14 cm+5 m 14 cm+6 m 56 cm
　　=10 m 28 cm+6 m 56 cm
　　=16 m 84 cm

5일 **서술형 길잡이** **독해력 길잡이** **76쪽~77쪽**

1-1 3 m 60 cm
1-2 (1) 10개 (2) 8개 (3) 1 m 84 cm
2-1 2 m 14 cm
2-2 (1) 4 m 92 cm (2) 3군데 (3) 75 cm
　　　(4) 4 m 17 cm

1-1 • 길이가 30 cm인 굵은 선의 길이의 합:
　　　30 cm+30 cm+30 cm+30 cm+30 cm
　　　+30 cm+30 cm+30 cm
　　　=240 cm=2 m 40 cm
　　• 길이가 20 cm인 굵은 선의 길이의 합:
　　　20 cm+20 cm+20 cm+20 cm+20 cm
　　　+20 cm=120 cm=1 m 20 cm
　　➡ (만든 도형의 둘레)
　　　=2 m 40 cm+1 m 20 cm
　　　=3 m 60 cm

1-2 (3) 12 cm가 10개이면 120 cm=1 m 20 cm
　　　이고, 8 cm가 8개이면 8×8=64 (cm)입니다.
　　　➡ (연두색 선의 전체 길이)
　　　　=1 m 20 cm+64 cm
　　　　=1 m 84 cm

2-1 (색 테이프 2장의 길이의 합)
　　　=1 m 25 cm+1 m 25 cm=2 m 50 cm
　　➡ (이어 붙인 색 테이프의 전체 길이)
　　　=2 m 50 cm−36 cm=2 m 14 cm

2-2 [구하려는 것] 이은 막대의 전체 길이

[주어진 조건] 길이가 1 m 23 cm인 막대 4개를 25 cm씩 겹치게 끈으로 묶어서 이음

[해결 전략] 막대 4개의 길이의 합에서 겹친 부분의 길이의 합을 빼어 이은 막대의 전체 길이를 구합니다.

(1) 1 m 23 cm＋1 m 23 cm＋1 m 23 cm ＋1 m 23 cm＝4 m 92 cm

(3) 25 cm＋25 cm＋25 cm＝75 cm

(4) (이은 막대의 전체 길이)
  ＝(막대 4개의 길이의 합)－(겹친 부분의 길이의 합)
  ＝4 m 92 cm－75 cm＝4 m 17 cm

5일 사고력·코딩 78쪽~79쪽

1 16 m 88 cm **2** 6 m 92 cm

3 14 m 42 cm **4** 7 m 62 cm

5 (1)

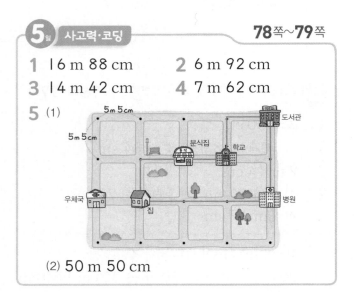

(2) 50 m 50 cm

1

3 m 25 cm
5 m 19 cm

5 m 19 cm＋3 m 25 cm＋5 m 19 cm ＋3 m 25 cm＝16 m 88 cm

2 만들어진 도형의 두 변의 길이는 2 m 12 cm로 같고, 아랫변의 길이는 1 m 34 cm＋1 m 34 cm ＝2 m 68 cm입니다. 따라서 도형의 둘레는 2 m 12 cm＋2 m 12 cm＋2 m 68 cm ＝4 m 24 cm＋2 m 68 cm＝6 m 92 cm입니다.

3 (문구점에서 학교까지의 거리)
  ＝(문구점에서 버스 정류장까지의 거리)
   ＋(태희네 집에서 학교까지의 거리)
   －(태희네 집에서 버스 정류장까지의 거리)
  ＝8 m 83 cm＋10 m 14 cm－4 m 55 cm
  ＝18 m 97 cm－4 m 55 cm＝14 m 42 cm

4 (색 테이프 2장의 길이의 합)
  ＝3 m 17 cm＋5 m 48 cm＝8 m 65 cm
  ➡ (이어 붙인 색 테이프의 전체 길이)
   ＝(색 테이프 2장의 길이의 합)－(겹친 부분의 길이)
   ＝8 m 65 cm－1 m 3 cm＝7 m 62 cm

5 (2) 5 m 5 cm가 10번이므로 5 m 5 cm를 10번 더한 길이입니다. ➡ 50 m 50 cm

2주 특강 창의·융합·코딩 80쪽~85쪽

1

2

3 8, 56

4

5 20

6 ❶

×	1	2	3	4	5	6	7	8	9
6	6	12	18	24	30	36	42	48	54

×	1	2	3	4	5	6	7	8	9
8	8	16	24	32	40	48	56	64	72

❷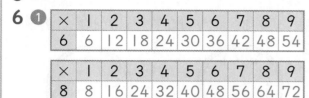

7 ❶ 10, 24, 63

❷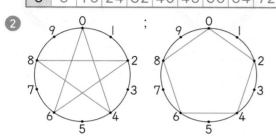

8 (위에서부터) ❶ 46, 5 ❷ 4, 39

9 ㉠, ㉢, ㉡

10 ❶ 11, 84 ❷ 1, 2

---

1 2×6=12, 4×4=16
→ 5×5=25, 9×1=9
→ 6×7=42, 7×4=28, 3×9=27
→ 8×8=64 → 4×6=24, 9×2=18
→ 6×6=36, 8×5=40
→ 5×6=30, 7×9=63 → 6×1=6, 2×2=4
→ 3×7=21, 5×9=45

2 · 3 m 30 cm+5 m 45 cm=8 m 75 cm
· 7 m 68 cm−1 m 17 cm=6 m 51 cm
· 5 m 26 cm+1 m 42 cm=6 m 68 cm
· 8 m 97 cm−3 m 34 cm=5 m 63 cm

3 2×4=8, 8×7=56

---

4 · 1 m 25 cm=1 m+25 cm
   =100 cm+25 cm=125 cm
· 134 cm=100 cm+34 cm
   =1 m+34 cm=1 m 34 cm
· 1 m 19 cm=1 m+19 cm
   =100 cm+19 cm=119 cm

5 윗면의 눈의 수가 2인 주사위: 바닥에 닿은 면의 눈의 수를 ☐라 하면 2+☐=7에서 ☐=5입니다.
윗면의 눈의 수가 3인 주사위: 바닥에 닿은 면의 눈의 수를 ☐라 하면 3+☐=7에서 ☐=4입니다.
→ 바닥에 닿은 두 면의 눈의 수의 곱은 5×4=20입니다.

6 ❷ · 6단 곱셈구구 값의 일의 자리 숫자는 6, 2, 8, 4, 0이 반복됩니다.
· 8단 곱셈구구 값의 일의 자리 숫자는 8, 6, 4, 2, 0이 반복됩니다.

7 ❶ ◆=5×2=10, ♥=4×6=24,
▲=9×7=63
❷ 곱셈표를 점선을 따라 접었을 때 만나는 곳에 있는 수는 서로 같습니다.

8 ❶ · cm 단위의 계산: ☐+45=91
   → 91−45=☐, ☐=46
· m 단위의 계산: 2+☐=7
   → 7−2=☐, ☐=5
❷ · cm 단위의 계산: 55−☐=16
   → 55−16=☐, ☐=39
· m 단위의 계산: ☐−3=1
   → 1+3=☐, ☐=4

9 몸의 일부의 길이가 짧을수록 재는 횟수가 많습니다.
따라서 재는 횟수가 많은 것부터 차례로 기호를 쓰면 ㉠, ㉢, ㉡입니다.

10 ❶ 연두색 막대와 파란색 막대 2개의 길이의 합을 구합니다.
   → 7 m 36 cm+2 m 24 cm+2 m 24 cm
   =9 m 60 cm+2 m 24 cm
   =11 m 84 cm
❷ 연두색 막대의 길이에서 분홍색 막대와 파란색 막대의 길이의 합을 뺍니다.
(분홍색 막대의 길이)+(파란색 막대의 길이)
=4 m 10 cm+2 m 24 cm=6 m 34 cm
→ 7 m 36 cm−6 m 34 cm=1 m 2 cm

누구나 100점 TEST

1 희정, 세호, 정훈	**2** 2, 2 ; 16개
3 장군, 1 m 7 cm	**4** 9 m 35 cm
5 8 m 40 cm	**6** 5 m 75 cm

1 희정: 8개씩 7봉지 ➡ 8×7=56(개)
세호: 9개씩 6봉지 ➡ 9×6=54(개)
정훈: (희정이가 가지고 있는 젤리 수)−4
    =56−4=52(개)
따라서 56>54>52이므로 젤리를 많이 가지고 있는
사람부터 차례로 이름을 쓰면 희정, 세호, 정훈입니다.

2 아래쪽과 위쪽 두 부분으로 나누어 블록의 수를 구합니다.
아래쪽: 한 줄에 6개씩 2줄 ➡ 6×2=12(개)
위쪽: 한 줄에 2개씩 2줄 ➡ 2×2=4(개)
➡ (사용한 블록 수)=12+4=16(개)

3 265 cm=200 cm+65 cm
      =2 m+65 cm
      =2 m 65 cm
➡ 3 m 72 cm>2 m 65 cm이므로 장군이의 노
   끈이 3 m 72 cm−2 m 65 cm=1 m 7 cm
   더 깁니다.

4 605 cm=600 cm+5 cm=6 m+5 cm
      =6 m 5 cm
➡ (은행에서 우체국까지의 거리)
   =(편의점에서 우체국까지의 거리)
    −(편의점에서 은행까지의 거리)
   =15 m 40 cm−6 m 5 cm
   =9 m 35 cm

5 • 길이가 50 cm인 굵은 선은 12개이므로 길이의 합은
   600 cm=6 m입니다.
• 길이가 30 cm인 굵은 선은 8개이므로 길이의 합은
   240 cm=2 m 40 cm입니다.
➡ (만든 도형의 둘레)=6 m+2 m 40 cm
            =8 m 40 cm

6 (리본 2장의 길이의 합)
   =4 m 36 cm+2 m 49 cm
   =6 m 85 cm
➡ (이어 붙인 리본의 전체 길이)
   =(리본 2장의 길이의 합)−(겹친 부분의 길이)
   =6 m 85 cm−1 m 10 cm
   =5 m 75 cm

3주

3주에는 무엇을 공부할까? ❷

1-1 (1) 5, 30 (2) 7, 10 **1-2** (1) 7, 10 (2) 9, 5
2-1 **2-2**

3-1 (1) 금요일 (2) 4번 **3-2** (1) 월요일 (2) 5번
4-1 2, 4, 2, 2, 10 **4-2** 4, 4, 1, 1, 10

1일 개념·원리 길잡이

활동 문제 92쪽
❶ 3시 30분 ❷ 5시 10분 ❸ 4시 25분
활동 문제 93쪽
❶ 10시 20분 ❷ 12시 30분 ❸ 6시 50분

활동 문제 92쪽

❶ 5시 40분 ―2시간 전→ 3시 40분
―10분 전→ 3시 30분

1일 서술형 길잡이 독해력 길잡이

1-1 5시 45분 **1-2** 40, 4, 30, 2, 50
1-3 (1) 1시간 30분 (2) 1시 30분 (3) 3시
2-1 **2-2**

2-3

1-1 60분은 1시간이고 120=60+60이므로 120분
은 2시간입니다.
시계가 나타내는 시각은 3시 45분이므로 3시 45분
에서 2시간 후의 시각을 구하면 5시 45분입니다.

2-1 현재 시각은 11시 3분 전이므로 10시 57분입니다.
10시 57분보다 5분 느린 시각은 10시 52분이므
로 고장 난 시계의 짧은바늘은 10과 11 사이를 가리
키고, 긴바늘은 10에서 작은 눈금으로 2칸 더 간 곳
을 가리키도록 그립니다.

2-2 구하려는 것 고장 난 시계에 시곗바늘 그리기

주어진 조건 고장 난 시계가 현재 시각보다 30분 느림.
현재 시각은 9시 7분 전

해결 전략 현재 시각에서 30분 느린 시각을 구하고 시계에 나타냅
니다.

현재 시각은 9시 7분 전이므로 8시 53분입니다.
8시 53분보다 30분 느린 시각은 8시 23분이므로
고장 난 시계의 짧은바늘은 8과 9 사이를 가리키고,
긴바늘은 4에서 작은 눈금으로 3칸 더 간 곳을 가리키
도록 그립니다.

2-3 현재 시각은 12시 10분 전이므로 11시 50분입니다.
11시 50분보다 1시간 5분 빠른 시각은 12시 55분
이므로 손목시계의 짧은바늘은 12와 1 사이를 가리
키고, 긴바늘은 11을 가리키도록 그립니다.

1일 사고력·코딩 96쪽~97쪽

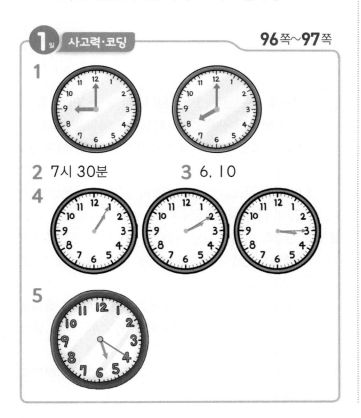

2 7시 30분   **3** 6, 10

2 70=60+10이므로 70분은 1시간 10분입니다.
시계가 나타내는 시각은 6시 20분이므로 6시 20
분의 1시간 10분 후의 시각을 구합니다.
6시 20분의 1시간 후는 7시 20분이고, 7시 20분
의 10분 후는 7시 30분입니다.

3 아침 7시의 11시간 후는 7+11=18시입니다.
18−12=6이므로 18시는 오후 6시입니다. 오후
6시의 10분 후는 6시 10분입니다.

4 • 12시에서 1시간 후는 1시인데 5분 빨라지므로
1시 5분이 됩니다.
• 12시에서 2시간 후는 2시인데 5+5=10(분) 빨
라지므로 2시 10분이 됩니다.
• 12시에서 3시간 후는 3시인데 5+5+5=15(분)
빨라지므로 3시 15분이 됩니다.

5 거울에 비친 시계는 6시 20분입니다. 6시 20분의
1시간 전의 시각은 5시 20분입니다.

2일 개념·원리 길잡이 98쪽~99쪽

활동 문제 98쪽
(위에서부터) 7, 8, 9, 6

활동 문제 99쪽

1
일	월	화	수	목	금	토
2	3	4	5	6	7	8

2
일	월	화	수	목	금	토
3	4	5	6	7	8	9

3
금
5
12
19
26

4
목
1
8
15
22
29

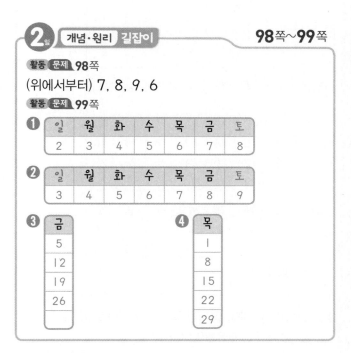

활동 문제 98쪽
31일까지 있는 달력은 7월과 8월 달력이고, 30일까지
있는 달력은 6월과 9월 달력입니다. 왼쪽 위에 있는 달력
의 마지막 날은 수요일이고 오른쪽 위에 있는 달력의 첫 번
째 날은 목요일이므로 왼쪽 위에 있는 달력의 다음 달이 오
른쪽 위에 있는 달력이 될 수 있습니다. 따라서 왼쪽 위에
있는 달력은 7월, 오른쪽 위에 있는 달력은 8월 달력입니
다. 7월 1일이 월요일이므로 6월의 마지막 날은 일요일입
니다. 따라서 오른쪽 아래에 있는 달력은 6월 달력입니다.

❶ 수요일 칸에 5를 써넣고, 오른쪽에는 1씩 커지는 수를, 왼쪽에는 1씩 작아지는 수를 써넣습니다.

❸ 26 19 12 5이므로 위에서부터 5, 12, 19, 26을
   ⌄−7 ⌄−7 ⌄−7
써넣습니다.

❹ 15 8 1이므로 위에서부터 1, 8, 15를 써넣고,
   ⌄−7 ⌄−7
15의 아래에는 7씩 커지는 수를 써넣습니다.

2일 서술형 길잡이 독해력 길잡이 — 100쪽~101쪽

1-1 8, 7

1-2 28, 2, 목, 3, 4, 2, 3, 4

2-1

일	월	화	수	목	금	토
					1	2
3	4	5	6	7	8	9
10	11	12	13	14	15	16
17	18	19	20	21	22	23
24	25	26	27	28	29	30

2-2

일	월	화	수	목	금	토
	1	2	3	4	5	6
7	8	9	10	11	12	13
14	15	16	17	18	19	20
21	22	23	24	25	26	27
28	29	30	㉛			

2-3

일	월	화	수	목	금	토
1	2	3	4	5	6	7
8	9	10	11	12	13	14

; 일요일

1-1 연속된 두 달의 마지막 날이 모두 31일이므로 연속된 두 달은 7월과 8월입니다.

왼쪽 달력이 7월이라면 오른쪽 달력과 요일이 이어져야 하는데 왼쪽 달력의 마지막 날은 토요일이고, 오른쪽 달력의 첫 번째 날은 월요일이므로 이어지지 않습니다.

오른쪽 달력이 7월이라면 오른쪽 달력의 마지막 날은 수요일이고, 왼쪽 달력의 첫 번째 날은 목요일이므로 요일이 이어집니다.

2-1 날짜는 아래쪽으로 7씩 커지고, 오른쪽으로 1씩 커집니다. 목요일 두 번째 칸에 7을 써넣고 나머지 날짜를 모두 채워 넣습니다.

2-2 구하려는 것 10월 달력과 핼러윈이 열리는 날

주어진 조건 핼러윈은 10월 마지막 날 수요일

해결 전략 10월 마지막 날이 며칠인지 알아보고 달력에 10월 날짜를 채워 넣습니다.

10월은 31일까지 있으므로 핼러윈은 10월 31일입니다. 수요일의 칸 중 맨 아래 칸에 31을 써넣고 나머지 날짜를 채워 넣습니다.

2-3 토요일의 칸 중 아래 칸에 14를 써넣고 1부터 13까지의 날짜를 채워 넣습니다.

2일 사고력·코딩 — 102쪽~103쪽

1 1일, 8일, 15일, 22일, 29일

2

일	월	화	수	목	금	토
					1	2
3	4	5	6	⑦	8	9
10	11	12	13	14	15	16

3 수요일

4 (1) 일요일 (2) 수요일

5 31일

---

1 3일이 화요일이므로 2일은 월요일이고, 1일은 일요일입니다.

일
1
8
15
22
29

(+7, +7, +7, +7)

2 결혼식을 하는 날은 5월 7일이므로 목요일의 칸 중 두 번째 칸에 7을 써넣고 나머지 날짜를 채워 넣습니다.

3 11월 달력은 마지막 날의 날짜가 30일인 달력입니다. 11월 달력에서 1일이 금요일이므로 10월의 마지막 날은 목요일입니다. 따라서 10월은 가운데 달력이고 이 달력에서 한글날을 찾으면 수요일입니다.

4 (1) 3월의 마지막 날은 3월 31일입니다. 3월 31일은 4월 2일의 2일 전이므로 화요일의 2일 전 요일인 일요일입니다.

   (2) 4월의 마지막 날은 4월 30일 화요일이고, 5월의 첫 번째 날은 5월 1일이므로 화요일의 다음 날인 수요일입니다.

5 세 번째 달력은 30일까지 있는 달의 다음 달이므로 31일까지 있습니다.

③일 [개념·원리] 길잡이   104쪽~105쪽

활동 문제 104쪽

7월 17일에 제헌절, 7월 23일에 대서, 7월 26일에 중복, 8월 7일에 입추를 써넣습니다.

활동 문제 105쪽

8월 15일에 광복절, 8월 23일에 처서, 9월 8일에 백로, 9월 10일에 추석을 써넣습니다.

활동 문제 104쪽

- 대서: $17+6=23$이므로 7월 23일입니다.
- 중복: $17+9=26$이므로 7월 26일입니다.
- 입추: $26+12=38$, $38-31=7$이므로 8월 7일입니다.

활동 문제 105쪽

- 추석: 9월의 두 번째 토요일이므로 9월 10일입니다.
- 백로: $10-2=8$이므로 9월 8일입니다.
- 처서: 8에서 16을 뺄 수 없으므로 8에 31을 더하고 계산합니다. $8+31=39$, $39-16=23$이므로 8월 23일입니다.
- 광복절: 10에서 26을 뺄 수 없으므로 10에 31을 더하고 계산합니다. $10+31=41$, $41-26=15$이므로 8월 15일입니다.

③일 [서술형] 길잡이 [독해력] 길잡이   106쪽~107쪽

1-1 12월 21일   1-2 10, 3, 3, 42, 11

1-3 (1) 30일 (2) 4월 28일

2-1 12   2-2 20   2-3 27

1-1 $7+44=51$이고 11월의 날수는 30일입니다.
$51-30=21$이므로 동지는 12월 21일입니다.

1-3 (2) 8에서 10을 뺄 수 없으므로 8에 4월의 날수인 30을 더합니다. $8+30=38$, $38-10=28$이므로 4월 28일입니다.

2-1 $17-5=12$

2-2 **구하려는 것** 며칠 전인지 디데이로 나타내기

주어진 조건 오늘은 6월 20일, 여행을 가는 날은 7월 10일

해결 전략 날수를 계산하여 오늘은 여행 가는 날의 며칠 전인지 알아보고 디데이로 나타냅니다.

6월의 날수는 30일입니다. $10+30=40$,
$40-20=20$이므로 오늘은 20일 전입니다.

2-3 11월의 날수는 30일입니다. $26+30=56$,
$56-29=27$이므로 오늘은 27일 전입니다.

③일 [사고력·코딩]   108쪽~109쪽

1 34

2 (1) 10월 17일 (2) 5월 26일

3 8월 25일, 10월 26일, 8월 11일, 10월 18일

4 7월 11일, 8월 25일, 8월 29일

1 8월의 날수는 31일입니다.
$13+31=44$, $44-10=34$이므로 오늘은 추석의 34일 전입니다.

2 (1) $27+20=47$이고 9월은 30일까지 있으므로 47에서 30을 뺍니다. $47-30=17$이므로 10월 17일이 됩니다.

　(2) $16+40=56$이고 4월은 30일까지 있으므로 56에서 30을 뺍니다. $56-30=26$이므로 5월 26일이 됩니다.

3 • 9월 19일의 25일 전: 8월은 31일까지 있습니다.
$19+31=50$, $50-25=25$ ➡ 8월 25일

　• 9월 19일의 37일 후: 9월은 30일까지 있습니다.
$19+37=56$, $56-30=26$ ➡ 10월 26일

　• 9월 19일의 39일 전: $19+31=50$,
$50-39=11$ ➡ 8월 11일

　• 9월 19일의 29일 후: $19+29=48$,
$48-30=18$ ➡ 10월 18일

4 • D−10인 날이 8월 20일이므로 디데이는 8월 20일의 10일 후인 8월 30일입니다.

　• D−1인 날은 8월 30일의 1일 전이므로 8월 29일입니다.

　• D−5인 날은 8월 30일의 5일 전이므로 8월 25일입니다.

　• D−50인 날은 8월 30일의 50일 전입니다.
7월은 31일까지 있으므로 30에 31을 더한 다음 50을 뺍니다. $30+31=61$, $61-50=11$
따라서 7월 11일입니다.

④일 [개념·원리] 길잡이   110쪽~111쪽

활동 문제 110쪽

❶ 34 ❷ 42 ❸ 19

활동 문제 111쪽

❶ 29 ❷ 18 ❸ 30

활동 문제 110쪽

❶ 12월의 날수는 31일입니다.

24＋31＝55, 55－22＋1＝34(일)

❷ 7월의 날수는 31일입니다.

25＋31＝56, 56－15＋1＝42(일)

❸ 10월의 날수는 31일입니다.

3＋31＝34, 34－16＋1＝19(일)

활동 문제 111쪽

❶ 4월 9일 오전 10시 ――24시간 후――→ 4월 10일 오전 10시

――2시간 후――→ 낮 12시 ――3시간 후――→ 오후 3시

따라서 24＋2＋3＝29(시간)입니다.

❷ 9월 10일 오후 3시 ――24시간 후――→ 9월 11일 오전 3시

――6시간 후――→ 오전 9시

따라서 12＋6＝18(시간)입니다.

❸ 11월 1일 오전 11시 ――24시간 후――→ 11월 2일 오전 11시

――1시간 후――→ 낮 12시 ――5시간 후――→ 오후 5시

따라서 24＋1＋5＝30(시간)입니다.

4일 서술형 길잡이 독해력 길잡이 **112쪽~113쪽**

1-1 27장   1-2 (1) 31일 (2) 31일

1-3 31, 31, 50, 50, 36

2-1 26시간   2-2 27시간

2-3 13바퀴

1-1 8＋30＝38,

38－12＋1＝26＋1＝27(장)

1-2 (2) 13＋31＝44, 44－14＋1＝30＋1＝31(일)

2-1 7월 30일 오후 5시 ――24시간 후――→ 다음 날 오후 5시

――2시간 후――→ 오후 7시

따라서 24＋2＝26(시간)입니다.

2-2 구하려는 것 시현이네 가족이 여행을 한 시간

주어진 조건 오전 11시에 출발, 다음 날 오후 2시에 집에 돌아옴

해결 전략 하루는 24시간임을 이용하여 오전 11시부터 다음 날 오후 2시까지의 시간을 구합니다.

오전 11시 ――24시간 후――→ 다음 날 오전 11시

――1시간 후――→ 낮 12시 ――2시간 후――→ 오후 2시

따라서 24＋1＋2＝27(시간)입니다.

2-3 오후 9시 ――12시간 후――→ 다음 날 오전 9시

――1시간 후――→ 오전 10시

따라서 12＋1＝13(시간)이므로 긴바늘은 13바퀴를 돌았습니다.

4일 사고력·코딩 **114쪽~115쪽**

1 17바퀴   2 (1) 60시간 (2) 52시간

3 11번   4 43일

5 21일

1 오후 7시 ――5시간 후――→ 밤 12시

――12시간 후――→ 낮 12시

따라서 5＋12＝17(시간)입니다.

긴바늘은 한 시간에 한 바퀴씩 도는 데 17시간이 지났을 때 멈추게 되므로 17바퀴를 돕니다.

2 (1) 5월 6일 오전 8시 ――24시간 후――→ 5월 7일 오전 8시

――24시간 후――→ 5월 8일 오전 8시

――12시간 후――→ 5월 8일 오후 8시

따라서 24＋24＋12＝60(시간)입니다.

(2) 8월 31일 오전 7시 ――24시간 후――→

9월 1일 오전 7시 ――24시간 후――→ 9월 2일 오전 7시

――4시간 후――→ 9월 2일 오전 11시

따라서 24＋24＋4＝52(시간)입니다.

3 오전 8시 8분, 오전 9시 9분, 오전 10시 10분, 오전 11시 11분, 오후 12시 12분, 오후 1시 1분, 오후 2시 2분, 오후 3시 3분, 오후 4시 4분, 오후 5시 5분, 오후 6시 6분으로 11번 있습니다.

4 4월은 30일까지 있습니다. 15＋30＝45,

45－3＋1＝42＋1＝43(일)

5 끝나는 날짜를 □일이라고 하면 □－2＋1＝20이므로 □－1＝20, □＝21입니다.

5일 개념·원리 **길잡이** **116**쪽~**117**쪽

활동 문제 **116**쪽
❶ 23 ❷ 7 ❸ 5

활동 문제 **117**쪽
❶ 4, 15 ;

5			○	
4	○	○		○
3	○	○		○
2	○	○	○	○
1	○	○		○
학생 수 (명) 음식	🍙	🍚	🍲	🍜

❷ 5, 11 ;

5			○	
4			○	
3		○	○	
2		○	○	○
1	○	○	○	○
학생 수 (명) 선물	📗	🐶	🚲	⚽

활동 문제 **116**쪽
❷ 가지고 있는 지우개 수:
31−8−4−12=23−4−12=19−12=7(개)
❸ 토끼를 좋아하는 학생 수:
27−12−6−4=15−6−4=9−4=5(명)

5일 서술형 **길잡이** 독해력 **길잡이** **118**쪽~**119**쪽

1-1 5
1-2 6, 3, 6, 19, 19, 6, 6
1-3 (1) 30 (2) 3일 2-1 19명
2-2 17명 2-3 4명

1-1 5+7+6=18 ➡ 23−18=5(명)
1-3 (1) 11월의 날수는 30일이므로 합계는 30입니다.
  (2) 11+15+1=27, 30−27=3(일)
2-1 무당벌레를 관찰하고 싶은 학생 수는 잠자리를 관찰하고 싶은 학생 수인 4보다 3만큼 더 큰 7명입니다.
  (합계)=7+4+2+3+3=19(명)
2-2 구하려는 것 합계
  주어진 조건 지난주에 읽은 책의 수별 학생 수, 11권보다 많이 읽은 학생 수가 3권보다 적게 읽은 학생 수보다 2명 더 많음.
  해결 전략 3권보다 적게 읽은 학생 수를 구한 다음 합계를 구합니다.
  3권보다 적게 읽은 학생 수는 11권보다 많이 읽은 학생 수보다 2만큼 작은 1명입니다.
  (합계)=1+3+6+4+3=17(명)

2-3 교통 박물관이나 민속 박물관에 가고 싶은 학생 수는 20−6−7=7(명)입니다.
7을 두 수로 가르면 (0, 7), (1, 6), (2, 5), (3, 4)입니다.
이 중 차이가 1인 것은 3과 4이므로 교통 박물관에 가고 싶은 학생은 4명, 민속 박물관에 가고 싶은 학생은 3명입니다.

5일 사고력·코딩 **120**쪽~**121**쪽

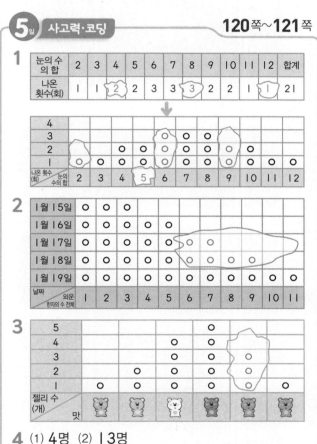

4 (1) 4명 (2) 13명

1 표와 그래프의 내용이 같도록 빈 곳을 채웁니다.
2 외운 한자의 수 전체는 매일 2개씩 늘어납니다. 따라서 1월 17일은 7개, 1월 18일은 9개가 되도록 ○를 그립니다.
3 젤리는 모두 16개이고 연두색 젤리를 뺀 나머지 젤리의 수를 모두 더하면 1+2+4+5+1=13(개)입니다.
  ➡ 연두색 젤리의 수는 16−13=3(개)이므로 ○를 3개 그립니다.
4 (1) 감자 과자를 먹고 싶은 학생 수가 2명이므로 옥수수 과자를 먹고 싶은 학생 수는 2의 2배인 4명입니다.
  (2) (합계)=4+3+4+2=13(명)

1

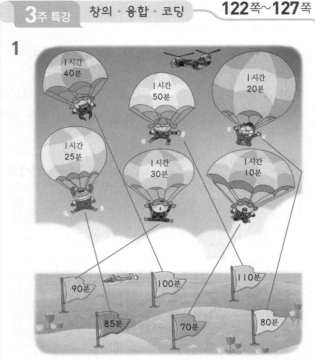

2

3 시간, 시각, 시간

4 ❶ 9시 40분

　❷ 3시 5분 전

5 (위에서부터) 1월, 3월, 5월, 7월;

　8월, 10월, 12월;

　9월, 11월;

　4월, 6월

　; 2월

6

	일	월	화	수	목	금	토
					1	2	③
	④	⑤	⑥	⑦	⑧	⑨	10
	11	12	13	14	15	16	17
	18	19	20	21	22	23	24
	25	26	27	28	29	㉚	31

7 ❶

10				
9				
8		○		
7		○		
6		○		
5		○	○	
4		○	○	○
3	○	○	○	○
2	○	○	○	○
1	○	○	○	○
횟수(번) 착한 일	심부름 하기	화분에 물 주기	식탁에 수저 놓기	방 정리하기

　❷ 화분에 물 주기

8 ❶ 2가지 ❷ 5가지

9 ❶ 5일

　❷ 1시간 38분

1 1시간 60분인 점을 이용하여 계산합니다.

3 ·1시간 20분은 시각과 시각 사이를 나타내므로 시간입니다.

　·5시 50분은 시간의 어느 한 지점이므로 시각입니다.

4 ❶ 긴바늘이 12까지 가는 데 작은 눈금이 10칸보다 많이 남았으므로 몇 시 몇 분으로 나타냅니다.

　❷ 긴바늘이 12까지 가는 데 작은 눈금이 10칸보다 많이 남지 않았으므로 몇 시 몇 분 전으로 나타냅니다.

5 31일까지 있는 홀수 달: 1월, 3월, 5월, 7월

　31일까지 있는 짝수 달: 8월, 10월, 12월

　30일까지 있는 홀수 달: 9월, 11월

　30일까지 있는 짝수 달: 4월, 6월

　30일까지 있지 않은 달: 2월

6 12월이므로 네 자리 수로 나타낼 때 왼쪽의 두 자리 수는 12입니다.

　날짜에 1 또는 2가 있으면 네 자리 수로 나타낼 때 각 자리의 숫자가 서로 다른 숫자가 될 수 없으므로 1과 2가 없는 날짜를 모두 찾아 ○표 합니다.

8 ❶ 3월 27일, 7월 23일 ➡ 2가지

　❷ 1월 26일, 2월 16일, 6월 12일, 6월 21일, 12월 6일 ➡ 5가지

9 ❶ 10월 4일부터 10월 9일까지의 날 중에서 토요일은 5일입니다.

❷ 1시간은 60분입니다.

98분=60분+38분=1시간 38분

누구나 100점 TEST   **128쪽~129쪽**

1 9시

2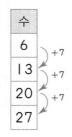

3 12장

4 6일, 13일, 20일, 27일

5 60시간

6 12월 4일

---

1 110=60+50이므로 110분은 1시간 50분입니다. 시계가 나타내는 시각은 7시 10분이므로 7시 10분의 1시간 50분 후의 시각을 구합니다.

7시 10분의 1시간 후는 8시 10분이고, 8시 10분의 50분 후는 9시입니다.

2 거울에 비친 시계는 8시 40분입니다. 8시 40분의 한 시간 전의 시각은 7시 40분입니다.

3 천 원짜리 지폐는 1장보다 4장 더 많은 5장입니다.

(합계)=5+2+4+1=12(장)

4 5일이 화요일이므로 6일은 수요일입니다.

수
6
13
20
27

+7, +7, +7

5 7월 4일 오전 9시 —24시간 후→ 7월 5일 오전 9시

—24시간 후→ 7월 6일 오전 9시

—12시간 후→ 7월 6일 오후 9시

따라서 24+24+12=60(시간)입니다.

6 19+15=34이고 11월은 30일까지 있으므로 34에서 30을 뺍니다. 34-30=4이므로 12월 4일이 됩니다.

4주

4주에는 무엇을 공부할까? ❷   **132쪽~133쪽**

1-1 2   **1-2** 5

2-1 (1) 1에 ○표 (2) 6에 ○표

2-2 (1) 2에 ○표 (2) 7에 ○표

3-1 (1)   (2)

3-2 (1) (2)

4-1 ■, ♥, ▲   **4-2** ●, ●, ●

3-2 (2) 네모 안에 ●의 위치가 왼쪽 위, 오른쪽 아래로 반복되는 규칙입니다.

4-1 ▲, ■, ♥, ▲가 반복되는 규칙입니다.

4-2 빨강, 노랑, 초록, 보라, 파랑이 반복되는 규칙입니다.

1일 개념·원리 길잡이   **134쪽~135쪽**

활동 문제 134쪽

❶ 1, 4, 4, 9 ; 21   ❷ 2, 3, 3, 8 ; 19

활동 문제 135쪽

❶ (예)

점수(점) \ 학생	민서	주원	수아
5		○	
4		○	
3	○	○	
2	○	○	○
1	○	○	○

❷ (예)

점수(점) \ 학생	지안	현우	예준
5	○		
4	○		○
3	○	○	○
2	○	○	○
1	○	○	○

활동 문제 134쪽

❶ 5×1=5, 3×4=12, 1×4=4

➡ 5+12+4=21(점)

❷ 5×2=10, 2×3=6, 1×3=3

➡ 10+6+3=19(점)

❶

점수		4점	2점	1점	점수(점)
맞힌 화살 수 (개)	민서	0	1	1	3
	주원	1	0	1	5
	수아	0	0	2	2

❷

점수		3점	2점	1점	점수(점)
맞힌 화살 수 (개)	지안	1	0	2	5
	현우	0	0	3	3
	예준	0	1	2	4

1일 서술형 길잡이 독해력 길잡이 **136쪽~137쪽**

1-1

점수		5점	3점	1점	점수(점)
맞힌 화살 수 (개)	현수	1	2	2	13
	미준	2	2	1	17

; 4점

1-2

점수		5점	2점	1점	점수(점)
맞힌 화살 수 (개)	지호	1	3	1	12
	민서	0	3	2	8

; 12, 8, 4

2-1 예

6			○		
5	○		○		
4	○		○		○
3	○	○	○		○
2	○	○	○	○	○
1	○	○	○	○	○
맞힌 문제 수(개) \ 학생	지우	도윤	수아	현서	유정

2-2 예

60	○				
50	○				○
40	○	○			○
30	○	○		○	○
20	○	○		○	○
10	○	○	○	○	○
점수(점) \ 학생	영우	현아	상호	동일	다솜

1-1 현수의 점수: $5 \times 1 = 5$, $3 \times 2 = 6$, $1 \times 2 = 2$
➡ $5 + 6 + 2 = 13$(점)
미준이의 점수: $5 \times 2 = 10$, $3 \times 2 = 6$, $1 \times 1 = 1$
➡ $10 + 6 + 1 = 17$(점)

17점과 13점의 차를 구하면 $17 - 13 = 4$(점)입니다.

1-2 지호의 점수: $5 \times 1 = 5$, $2 \times 3 = 6$, $1 \times 1 = 1$
➡ $5 + 6 + 1 = 12$(점)
민서의 점수: $5 \times 0 = 5$, $2 \times 3 = 6$, $1 \times 2 = 2$
➡ $0 + 6 + 2 = 8$(점)

2-1 한 문제당 10점이므로 10점일 때 맞힌 문제 수는 1 개, 20점일 때 맞힌 문제 수는 2개, 30점일 때 맞힌 문제 수는 3개……이다. 따라서 ○를 지우는 5개, 도 윤이는 3개, 수아는 6개, 현서는 3개, 유정이는 4개 를 그립니다.

참고
한 문제당 10점이므로 그래프로 나타낼 때 점수의 십의 자리 수만큼 ○를 그립니다.

2-2 구하려는 것 학생별 점수 그래프
주어진 조건 학생별 맞힌 문제 수, 한 문제당 10점
해결 전략 맞힌 문제 수만큼 ○을 그립니다.

한 문제당 10점이므로 맞힌 문제 수가 6개이면 60 점, 4개이면 40점, 2개이면 20점, 3개이면 30점, 5개이면 50점입니다.
그래프에서 ○ 1개가 10점을 나타내므로 맞힌 문제 수만큼 아래서부터 위로 ○를 그립니다.

1일 사고력·코딩 **138쪽~139쪽**

1 예

6			
5	○		
4	○		
3	○	○	
2	○	○	○
1	○	○	○
횟수(회) \ 색깔	보라	초록	빨강

6			
5		○	
4		○	
3		○	○
2	○	○	○
1	○	○	○
횟수(회) \ 색깔	보라	초록	빨강

; 많습니다에 ○표

2 (예)

5			
4		○	○
3	○	○	○
2	○	○	○
1	○	○	○
점수(점) / 이름	🎯 진호	🎯 인숙	🎯 수정

3

이름	낱자의 수(개)
이지호	6
김시우	7
한소미	7
서유빈	7
장도윤	8
강서연	8
김민준	9

(예)

4		○		
3		○	○	
2		○	○	
1	○	○	○	○
학생 수(명) / 낱자의 수(개)	6	7	8	9

4 4, 5, 3, 5, 3, 4 ;

(예)

5		○		○		
4	○	○		○		○
3	○	○	○	○	○	○
2	○	○	○	○	○	○
1	○	○	○	○	○	○
학생 수(명) / 채소	양파	당근	브로콜리	배추	무	파프리카

1
- 색깔별 가리킨 횟수를 보고 ○를 그려 넣습니다.
- 왼쪽 회전판에서 가장 넓은 색깔은 보라이고, 오른쪽 회전판에서 가장 넓은 색깔은 초록입니다.

각 회전판에서 넓게 색칠된 색깔일수록 가리킨 횟수가 많습니다.

2

	진호	인숙	수정
2점	1	2	1
1점	1	0	2
점수(점)	3	4	4

3 이지호: ㅇ, ㅣ, ㅈ, ㅣ, ㅎ, ㅗ ➡ 6개,
한소미: ㅎ, ㅏ, ㄴ, ㅅ, ㅗ, ㅁ, ㅣ ➡ 7개,
서유빈: ㅅ, ㅓ, ㅇ, ㅠ, ㅂ, ㅣ, ㄴ ➡ 7개
장도윤: ㅈ, ㅏ, ㅇ, ㄷ, ㅗ, ㅇ, ㅠ, ㄴ ➡ 8개,
강서연: ㄱ, ㅏ, ㅇ, ㅅ, ㅓ, ㅇ, ㅕ, ㄴ ➡ 8개
김민준: ㄱ, ㅣ, ㅁ, ㅁ, ㅣ, ㄴ, ㅈ, ㅜ, ㄴ ➡ 9개

(참고)
낱자의 수가 7개인 학생이 가장 많고 8개인 학생이 두 번째로 많습니다.

4 남학생 수와 여학생 수를 더하여 채소별 싫어하는 학생 수를 구한 다음 그래프를 그립니다.

2월 개념·원리 길잡이 　140쪽~141쪽

활동 문제 140쪽

❶ 1, 1

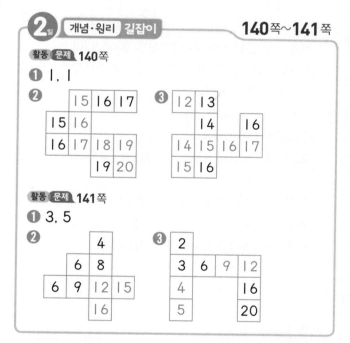

❷
```
15 16 17
15 16
16 17 18 19
   19 20
```

❸
```
12 13
      14       16
14 15 16 17
      15 16
```

활동 문제 141쪽

❶ 3, 5

❷
```
      4
   6  8
6  9 12 15
      16
```

❸
```
2
3  6  9 12
4        16
5        20
```

활동 문제 140쪽

❷~❸ 아래쪽으로 한 칸 이동하거나 오른쪽으로 한 칸 이동할 때 1씩 커지도록 수를 써넣습니다.

활동 문제 141쪽

❷ 4에서 8로 4만큼 커졌으므로 8의 아래에는 12를, 12의 아래에는 16을 써넣습니다. 6에서 9로 3만큼 커졌으므로 9의 오른쪽에는 12를, 12의 오른쪽에는 15를 써넣습니다.

❸
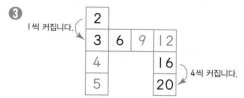

1씩 커집니다.
```
2
3  6  9 12
4        16
5        20
```
4씩 커집니다.

2일 서술형 길잡이 · 독해력 길잡이 · 142쪽~143쪽

1-1 2

1-2 예 모두 11로 같습니다.

1-3 예 오른쪽으로 갈수록 5씩 커집니다.

예 아래쪽으로 내려갈수록 6씩 커집니다.

2-1 지안 　　　　　**2-2** 수아

1-1 6, 8, 10, 12, 14이므로 2씩 커집니다.

1-2

+	4	5	6	7
4	8	9	10	11
5	9	10	11	12
6	10	11	12	13
7	11	12	13	14

1-3

×	2	3	4	5	6
2	4	6	8	10	12
3	6	9	12	15	18
4	8	12	16	20	24
5	10	15	20	25	30
6	12	18	24	30	36

2-1 예준: 곱셈표에 있는 수들은 모두 홀수입니다.

시우: 1, 3, 5, 7, 9가 있는 줄은 아래쪽으로 내려갈수록 2씩 커집니다.

2-2 구하려는 것 바르게 말한 사람

주어진 조건 덧셈표, 네 사람이 말한 내용

해결 전략 말한 내용을 읽어 보고 덧셈표에서 내용이 맞는지 확인합니다.

지안: 오른쪽으로 갈수록 수가 커집니다.

예준: ＼ 방향으로 갈수록 4씩 커집니다.

시우: 아래쪽으로 갈수록 2씩 커집니다.

2일 사고력·코딩 · 144쪽~145쪽

1

+	3	5	7	9
3	6	8	10	12
5	8	10	12	14
7	10	12	14	16
9	12	14	16	18

2 (1)

3	4		6	
		6	7	
		7	8	9
	6	7	8	9
			9	

(2)

8			11
9	10	11	12
		10	13
10	11		14
		12	15

---

3 36, 49

4 (1) 2, 6, 8, 4　(2)

×	㉠	㉡	㉢	㉣
㉠	4	8	12	16
㉡	8	16	24	32
㉢	12	24	36	48
㉣	16	32	48	64

5 (1)

×	1	2	3	4	5
1	1	2	3	4	5
2	2	4	6	8	10
3	3	6	9	12	15
4	4	8	12	16	20

(2)

×	1	2	3	4	5
1	1	2	3	4	5
2	2	4	6	8	10
3	3	6	9	12	15
4	4	8	12	16	20

---

1 ／ 방향으로 같은 수들이 있습니다.

2 오른쪽 또는 아래쪽으로 갈수록 1씩 커집니다.

3 ＼ 방향에 있는 수들은 2×2, 3×3, 4×4, 5×5의 곱입니다. 따라서 다음에는 6×6=36, 7×7=49가 차례로 들어갑니다.

4 (1) ㉠×㉢=12에서 ㉠이 2이므로 ㉢은 6입니다.

㉣×㉡=32에서 ㉣이 8이므로 ㉡은 4입니다.

5 (1) □×3=27에서 □는 9이므로 한가운데의 수가 9가 되도록 색칠합니다.

(2) △×3=24에서 △는 8이므로 한가운데의 수가 8이 되도록 색칠합니다.

3일 개념·원리 길잡이 · 146쪽~147쪽

활동 문제 146쪽

❶ 3, 2　❷ 1, 2　❸ 1　❹ 3

활동 문제 147쪽

❶ 6　❷ 10

활동 문제 147쪽

❶ 쌓기나무가 1개씩 늘어나는 규칙입니다.

❷ 쌓기나무가 2개씩 늘어나는 규칙입니다.

③일 서술형 길잡이 독해력 길잡이 **148**쪽~**149**쪽

1-1 20개

1-2 6, 4, 5, 6, 21

1-3 ⑴ 9개 ⑵ 25개

2-1 25개

2-2 ⑴ 20개 ⑵ 45개

1-1 2개, 3개, 4개, 5개로 쌓기나무가 1개씩 늘어나는 규칙입니다. 따라서 다섯 번째 모양은 쌓기나무를 6개 쌓아야 합니다. ➡ 2+3+4+5+6=20(개)

1-3 ⑴ 1층에 5개, 2층에 4개로 모두 9개입니다.
⑵ 1+3+5+7+9=25(개)

2-1 아래로 내려갈수록 쌓기나무가 2개씩 늘어나는 규칙입니다.
2층: 3층에 쌓은 5개보다 2개 많은 7개입니다.
1층: 2층에 쌓은 7개보다 2개 많은 9개입니다.
전체 쌓기나무의 수: 1+3+5+7+9=25(개)

2-2 구하려는 것 5층까지 쌓을 때 필요한 쌓기나무의 수
주어진 조건 3, 4, 5층의 쌓기나무 모양, 위로 갈수록 쌓기나무의 수가 줄어듦.
해결 전략 1층부터 5층까지의 쌓기나무의 수를 각각 구하여 더합니다.
⑴ 5층: 2개, 4층: 3개, 3층: 4개, 2층: 5개,
1층: 6개 ➡ 2+3+4+5+6=20(개)
⑵ 5층: 1개, 4층: 5개, 3층: 9개, 2층: 13개,
1층: 17개 ➡ 1+5+9+13+17=45(개)

③일 사고력·코딩 **150**쪽~**151**쪽

1 9개

2 ⑴ 12개 ⑵ 15개

3

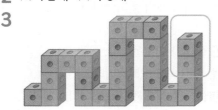

4 15개

5 36개, 28개

1 쌓기나무가 1개씩 늘어나는 규칙입니다.
다섯 번째: 7개, 여섯 번째: 8개, 일곱 번째: 9개

2 ⑴ 5층: 2개, 3층: 4개, 1층: 6개
➡ 2+4+6=12개
⑵ 6층: 1개, 4층: 5개, 2층: 9개
➡ 1+5+9=15개

3 파란색, 빨간색, 빨간색이 반복되는 규칙입니다. 빨간색 다음에는 빨간색과 파란색을 차례로 끼워야 합니다.

4 1층: 8개, 2층: 8-3=5(개), 3층: 5-3=2(개)
2개는 3개보다 적으므로 3층까지 쌓고 전체 수를 구합니다.
➡ 8+5+2=15(개)

5 ▢는 첫 번째에 1×1, 두 번째에 2×2, 세 번째 3×3……이므로 여섯 번째에는 6×6=36(개)입니다.
▢는 8개, 12개, 16개, 20개……로 4개씩 늘어나므로 다섯 번째에는 24개, 여섯 번째에는 28개입니다.

④일 개념·원리 길잡이 **152**쪽~**153**쪽

활동 문제 **152**쪽

❶  와 잇습니다.

❷ 와 잇습니다. ❸ 와 잇습니다.

활동 문제 **153**쪽

❶ ❷

활동 문제 **152**쪽

❶ , , 가 반복되는 규칙입니다.

❷ , , 가 반복되는 규칙입니다.

❸ , , 가 반복되는 규칙입니다.

활동 문제 **153**쪽

❶ 불가사리가 시계 방향으로 한 칸씩 옮겨지는 규칙입니다.

❷ 불가사리가 시계 반대 방향으로 한 칸씩 옮겨지는 규칙입니다.

4_월 서술형 길잡이 독해력 길잡이 154쪽~155쪽

1-1 빨간색

1-2 빨간색, 초록색, 노란색, 빨간색

1-3 예 네모 모양이 반복되는 규칙입니다.

예 곰 모양, 네모 모양 쿠키를 놓아야 합니다.

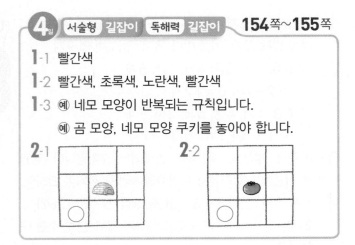

2-1

2-2

1-1 빨간색, 빨간색, 파란색 깃발이 반복되는 규칙입니다. 따라서 파란색 깃발 다음에는 빨간색 깃발을 꽂아야 합니다.

2-1 펭귄이 시계 방향으로 한 칸씩 움직이는 규칙입니다.

2-2 구하려는 것 일곱 번째에 햄스터가 있을 칸

주어진 조건 햄스터가 감 주위에서 움직이는 그림

해결 전략 햄스터가 움직이는 규칙을 찾아 일곱 번째의 위치를 구합니다.

햄스터가 시계 반대 방향으로 2칸씩 움직이는 규칙입니다.

4_월 사고력·코딩 156쪽~157쪽

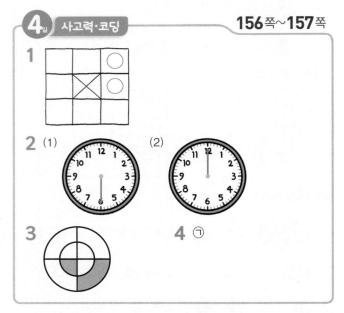

1 쿠키 2개가 시계 반대 방향으로 한 칸씩 이동하는 규칙입니다.

2 (1) 바늘이 시계의 큰 눈금 2칸씩 이동하는 규칙입니다.

(2) 바늘이 시계의 큰 눈금 4칸씩 이동하는 규칙입니다.

3 시계 반대 방향으로 한 칸씩 이동하는 규칙입니다.

4 2번 반복하면 ㉠과 같은 모양이 되고, 3번 반복하면 ㉡과 같은 모양이 됩니다. ㉠과 ㉡이 반복되는 규칙이므로 9번 반복하면 ㉡과 같은 모양이 되고, 10번 반복하면 ㉠과 같은 모양이 됩니다.

5_월 개념·원리 길잡이 158쪽~159쪽

활동 문제 158쪽

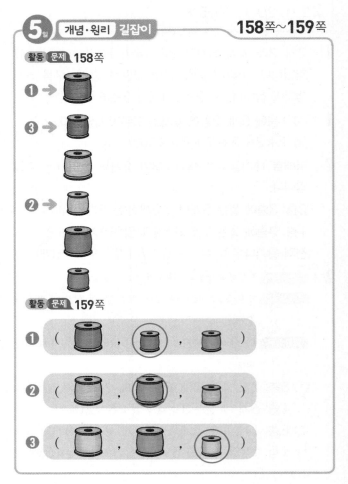

활동 문제 159쪽

① (, ◯ ,)

② (, ◯ ,)

③ (, , ◯)

활동 문제 158쪽

① 보라색 실패와 노란색 실패가 번갈아 가며 나오고 수는 1개씩 늘어납니다.

② 노란색 작은 실패와 파란색 큰 실패가 반복되는데 파란색 큰 실패는 수가 1개씩 늘어납니다.

③ 보라색 작은 실패와 노란색 큰 실패가 반복되는데 보라색 작은 실패는 수가 1개씩 늘어납니다.

활동 문제 159쪽

① 큰 실패와 작은 실패가 반복됩니다.

연두색, 파란색, 빨간색이 반복됩니다.

② 큰 실패, 큰 실패, 작은 실패가 반복됩니다.

노란색, 빨간색이 반복됩니다.

③ 작은 실패, 작은 실패, 큰 실패, 큰 실패가 반복됩니다.

노란색, 연두색, 빨간색이 반복됩니다.

5일 | 서술형 길잡이 | 독해력 길잡이 | **160**쪽~**161**쪽

1-1 초콜릿 맛에 ◯표, 작은 우유에 ◯표

1-2 ⒣ 분홍색, 초록색이 반복되는 규칙입니다.;
⒣ 작은 우유, 작은 우유, 큰 우유가 반복되는 규칙입니다.
; 분홍색에 ◯표, 작은 우유에 ◯표

1-3 ⒣ 작은 전구 1개, 큰 전구 2개가 반복됩니다.
; ⒣ 불이 켜진 큰 전구입니다.

2-1 1개, 4개   **2**-2 4개, 1개

2-3 귤 2개, 사과 1개

1-1 맛은 바나나 맛, 딸기 맛, 초콜릿 맛이 반복되어 놓여 있습니다. 크기는 큰 우유와 작은 우유가 반복되어 놓여 있습니다.

2-1 ★, ◯, ★이 반복되는데 ★의 수는 변하지 않고 ◯의 수는 1개씩 늘어납니다. ★ 1개, ◯ 4개, ★ 1개 다음에는 ★ 1개, ◯ 5개, ★ 1개가 놓여야 합니다.

2-2 구하려는 것 ☐ 안에 알맞은 ✿와 ●의 수
주어진 조건 ✿와 ●이 배열된 모양, ☐ 안에 들어갈 모양의 수는 5개
해결 전략 규칙을 찾아 ☐ 안에 들어갈 모양이 각각 몇 개인지 알아봅니다.
✿ 2개, ●, ✿ 3개, ●으로 ✿과 ●이 반복되면서 ✿의 수는 1개씩 늘어나는 규칙이다.
따라서 ☐ 안에는 ●, ✿, ✿, ✿, ✿이 들어갑니다.

2-3 사과, 포도, 귤이 반복되고 귤의 수가 1개씩 늘어나는 규칙입니다.

5일 | 사고력·코딩 | **162**쪽~**163**쪽

1

2 (1)

(2)

3 (1) **3**   (2) **14**

4

1 꽃잎이 시계 방향으로 한 칸씩 옮겨지는 규칙입니다. 꽃잎의 수는 1개씩 늘어나므로 두 번째 그림의 꽃잎은 3개입니다.

2 (1) 윗옷, 아래옷이 반복되고, 색깔은 초록색, 보라색, 노란색이 반복되는 규칙입니다.
(2) 아래옷, 윗옷, 윗옷이 반복되고, 색깔은 파란색, 주황색이 반복되는 규칙입니다.

3 (1) 수는 2씩 커지고 색깔은 노랑, 빨강, 초록이 반복되는 규칙입니다.
(2) 수는 3씩 커지고 색깔은 초록, 빨강이 반복되는 규칙입니다.

4 불이 꺼진 창문 2개와 불이 켜진 창문이 반복되면서, 불이 켜진 창문의 수가 1개씩 늘어나는 규칙입니다. 불이 꺼진 창문 2개와 불이 켜진 창문 5개 다음에 불이 꺼진 창문 2개가 와야 합니다.

4주 특강 | 창의·융합·코딩 | **164**쪽~**169**쪽

1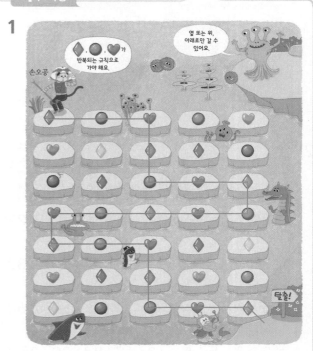

2 (왼쪽부터) 55, 60 ; 30, 33 ; 20, 22 ; 47, 57

3 ❶ 4가지

❷

개수(개) / 훔친 재물	도자기	장신구	곡식	비단
7				
6				○
5			○	○
4		○	○	○
3	○	○	○	○
2	○	○	○	○
1	○	○	○	○

4 ❶ 16명 ❷ 예준

5

6

출발 →

도착

; △, ○, □

7

8 바

2
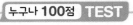

㉠	㉡	㉢	㉣
2 4 6	3 6 9	10 15 20	2 3 5
8 10 12	12 15 18	25 30 35	8 12 17
14 16 18	21 24 27	40 45 50	23 30 38

㉠ 2씩 커지는 규칙이므로 다음에 올 수는 20, 22입니다.

㉡ 3씩 커지는 규칙이므로 다음에 올 수는 30, 33입니다.

㉢ 5씩 커지는 규칙이므로 다음에 올 수는 55, 60입니다.

㉣ 2, 3, 5, 8, 12, 17, 23, 30, 38이므

$$\underset{+1}{} \underset{+2}{} \underset{+3}{} \underset{+4}{} \underset{+5}{} \underset{+6}{} \underset{+7}{} \underset{+8}{}$$

로 다음에 올 수는 38보다 9만큼 더 큰 47과 47보다 10만큼 더 큰 57입니다.

3 ❶ 표에서 훔친 재물은 도자기, 장신구, 곡식, 비단으로 모두 4가지입니다.

4 ❶ 3+6+2+3+2=16(명)

❷ 시우: 치즈빵을 좋아하는 학생은 소시지빵을 좋아하는 학생보다 많습니다. 수아와 지안이가 말한 내용은 그래프에서 알 수 없습니다.

8 세로로 수가 6씩 커지는 규칙입니다.

가: 1, 7, 13, 19, 25, 31……

나: 4, 10, 16, 22, 28, 34……

다: 2, 8, 14, 20, 26, 32……

라: 5, 11, 17, 23, 29, 35……

마: 3, 9, 15, 21, 27, 33……

바: 6, 12, 18, 24, <u>30</u>……

누구나 100점 TEST 170쪽~171쪽

1

2 64, 81

3 7, 5, 6, 7, 27

4 4개, 1개

5 4

6 1, 1, 0, 3, 4, 2, 4, 1

; 예

나온 횟수(회) / 눈의 수의 차	0	1	2	3	4	5
4						
3		○				
2		○		○		
1	○	○	○	○	○	

2 8×8=64, 9×9=81이 차례로 들어갑니다.

4 🔵, ⚙️이 반복되는데 🔵의 수는 변하지 않고 ⚙️의 수는 1개씩 늘어나는 규칙입니다.

5 수는 3씩 커지고, 색깔은 빨간색, 파란색, 초록색이 반복되는 규칙입니다.

6 차가 나온 횟수를 구하여 그래프를 완성합니다.

회	1	2	3	4	5	6	7	8
두 주사위의 눈	5, 6	1, 2	2, 2	1, 4	2, 6	3, 5	2, 6	6, 5
눈의 수의 차	1	1	0	3	4	2	4	1

6-5 =1 | 2-1 =1 | 2-2 =0 | 4-1 =3 | 6-2 =4 | 5-3 =2 | 6-2 =4 | 6-5 =1

정답은
이안에
있어!

기초 학습능력 강화 프로그램
매일 조금씩 공부력 UP!

하루 독해 · 하루 어휘 · 하루 글쓰기 · 하루 VOCA

하루 수학 · 하루 계산 · 하루 도형 · 하루 사고력

하루 사회 · 하루 과학

과목	교재 구성	과목	교재 구성
하루 수학	1~6학년 1·2학기 12권	하루 사고력	1~6학년 A·B단계 12권
하루 VOCA	3~6학년 A·B단계 8권	하루 글쓰기	예비초~6학년 A·B단계 14권
하루 사회	3~6학년 1·2학기 8권	하루 한자	1~6학년 A·B단계 12권
하루 과학	3~6학년 1·2학기 8권	하루 어휘	1~6단계 6권
하루 도형	1~6단계 6권	하루 독해	예비초~6학년 A·B단계 12권
하루 계산	1~6학년 A·B단계 12권		

※ 각 교재별 출간 시기는 조금씩 다르며, 일부 교재는 순차적으로 출시될 예정입니다.

배움으로 행복한 내일을 꿈꾸는
천재교육 커뮤니티 안내 · · ·

교재 안내부터 구매까지 한 번에!
천재교육 홈페이지

천재교육 홈페이지에서는 자사가 발행하는 참고서,
교과서에 대한 소개는 물론 도서 구매도 할 수 있습니다.
회원에게 지급되는 별을 모아 다양한 상품 응모에도
도전해 보세요.

구독, 좋아요는 필수! 핵유용 정보 가득한
천재교육 유튜브 <천재TV>

신간에 대한 자세한 정보가 궁금하세요?
참고서를 어떻게 활용해야 할지 고민인가요?
공부 외 다양한 고민을 해결해 줄 채널이 필요한가요?
학생들에게 꼭 필요한 콘텐츠로 가득한 천재TV로 놀러 오세요!

다양한 교육 꿀팁에 깜짝 이벤트는 덤!
천재교육 인스타그램

천재교육의 새롭고 중요한 소식을 가장 먼저 접하고 싶다면?
천재교육 인스타그램 팔로우가 필수!
누구보다 빠르고 재미있게 천재교육의 소식을 전달합니다.
깜짝 이벤트도 수시로 진행되니 놓치지 마세요!